D0275521

Birgit Kempker erzählt eine Familiengeschichte, die mancher wiedererkennen wird.
Was ist zu sehen? Vier Kinder. Ein Kanarienvogel. Ein Hund. Ein BMW, der einmal im Jahr das Wohnheim nach Dänemark in die Ferien zieht. Ein Garten. Viele Tannen. Unkrautziehen. Hühner. Einbauschränke. Glasbausteine. Vater Heinz. Mutter Gertrud. Und alle wollen das Glück. Alle sitzen da und warten auf Gefühle. Alle sitzen da mit der Angst, die Liebe könnte sie verraten und vernichten. Alle ertrügen gern das Glück, das in dieser Familie hätte gewesen sein können. Wir hören und sehen sie: schwatzen, reden, schlafen, streiten, schleichen, sich verstecken, spionieren, lieben, fressen, doch zum Heimischwerden ist das alles nicht. Zum Aushalten ist es nicht und soll es nicht sein.
Alle liegen vor allen auf der Lauer. Kaum rutschen der Tochter beim Essen Worte aus dem Mund, schlägt der Vater die Worte schon am Tisch tot. So steht sie, die erzählt, die Älteste, zwar nicht mutterseelenallein, aber dafür im deutschen Wald und singt ein forsches Lied. Treu und wahr soll es sein. Doch alles, was die Sprache in dieser (Familien-)Gegend vermag, ist: Verrat. «Im eigenen Blut sperrt der Feind die Klappe auf und frißt», sagt der Vater. Sätze voller poetischer Sprachkomik und surrealer Verfremdung kommen im Stechschritt auf uns zu, führen an ein monströses Geschehen heran und sprinten zugleich davon.

Birgit Kempker, geb. 1956 in Wuppertal, lebt in Basel. Studium der Kulturpädagogik, Kunst und Literatur. Schule für experimentelle Gestaltung, F+F, Zürich. Unterrichtet manchmal, z.B. in Kunstklassen. Veröffentlichungen: 1986: «Der Paralleltäter. Schnee in der Allee», 1987: «Auch Frieda war jung», 1988: «Rock me Rose»

Birgit Kempker

Dein Fleisch ist mein Wort

Prosa

Rowohlt

Die Autorin dankt Pro Helvetia
für die freundliche Unterstützung

1. Auflage März 1992

Lektorat Manuela A. Heise
Einbandgestaltung Katja Maasböhl
Printed in Germany
ISBN 3 498 03479 0

Dein Fleisch ist mein Wort

Für Kerstin, Bernd und Dorothee

- Jeden Tag trainiere ich
die Saugnäpfe unter den Füßen.
Arnold Schwarzenegger

1 Wir wollen das Glück

Wir sitzen am Tisch und wollen das Glück. Das Haus steht am Wald.
– Seht sie euch an, die Tunichtgute, Taugenichtse, wie sie Zeit und Luft wegspazieren, zeigt der Vater mit der Gabel, durch die Butzenscheiben auf die Leute vor dem Haus, wie sie uns, wie wir vor den Tellern, Punkt eins sitzen, mit den blinden Stöcken durch die Brust, in den hohen Rücken glotzen.

– Heinz, ER hat den Sonntag befohlen. Das Spazieren im Wald. Dreh es den Kindern nicht zum Schlechten. Wer vom Tisch wegschielt, dessen Leben ist nicht als Leben zu nehmen, sagt die Mutter.
– Lies nicht soviel, der Vater klatscht hier, unter die Schleife. Die Schürze ist gewölbt.
Die Mutter setzt den Braten hin, ein Herz und eine Seele, ein vereinigter Körper sind die und vier Früchtchen: A, Be, Ce und bald De, Möschenborn 17, mit gelbem Kanarienbruder, vom Vater in die Hosentasche, ungeimpft über die holländische Grenze geschmuggelt, das sind wir.

– Nicht gepiekt, nicht gepiepst. Kein Aufbegehren. Ein Vorbild der Loyalität, sagt der Vater.

– Loyalität, fragt die Mutter.
– Ich war auch auf der Schule, nicht nur deine Kinder, Gertrud, ich rede, wie es mir paßt.
Im Vater sammelt sich Wut:
– Ich schämte mich nicht, dir die Lenden blutig zu schlagen, wirft er die Faust, mit unzufriedenem Gaumen zur Lampe, das soll durchgebraten sein? Habt ihr den Kopf der Mutter beim Kochen mit dummen Geschichten gefüllt? Hast du dein Los bejammert, A? Willst du uns wieder verlassen? Schiel nicht an mir vorbei, wenn ich mit dir rede. Du hast gehört, was ER zum Schielen sagt.
– Heinz, sagt die Mutter gerührt, du bist ganz nah an meinem Bett gewesen, an meinem Atem. Du hast den Blutsatz der Lenden, das Schielen in der Bibel gefunden. Du liest. Du liebst mich.
Sanft führt sie seine Faust, bevor sie meine Seite straft, in ihre ein.
– Sie wird bei uns bleiben, stöhnt die Mutter, wie du recht hast, Heinz, wir setzen sie nicht irgendeiner Willkür aus, auch wenn es ihr so gefallen würde, das sind so Phasen, später wird sie dankbar sein. Unsere Augen werden weiter gerne auf ihr ruhen, was Heinz?
– Das wäre gelacht, sagt Heinz, ein leeres Haus und die Kinder kosten im Internat, das kommt nicht in die Tüte.

Wir sitzen mit dem Vater am Tisch und zeichnen Häuser, Grundrisse.
– Für jeden einen Turm, fragt er.
– Ja, rufen wir.
Wir ziehen Türme hoch mit dem Bleistift, der Vater

zieht Falltüren ein. Er bringt Vorräte. Er schleift uns durch Schlösser, alte, verlassene Häuser, der Makler und die Mutter hinterher, fassen sich an die verzweifelten Köpfe.
Das Kinderhaus neben dem Bootshaus am See und Rechte, soweit das Auge reicht, darf niemand bauen, wir schweifen schon über Hügel, Kühe und Kähne.
– Kein Mensch bringt mich ans Ende der Welt, sagt die Mutter, auch du nicht, Heinz, in Plön sterbe ich.
Da begraben wir das.

Er spinnt mit uns im Häuschen am Meer, in Dänemark, wie wir immer nachts das Wasser hören und ihn Fische holen sehen. Wie der Wind ums einsame Haus streicht, wie alles möglich ist, was wir uns wünschen, nur die Mutter wünscht das nicht, die sitzt im Auto und jammert, die Spinnweben, die morschen Wände, die Einöde, die mangelnde Kulturlandschaft, wo ist das Stadttheater, wo ist das Landesmuseum, wo ist die praktische Kücheneinrichtung, wo ist überhaupt die Vernunft geblieben.
Da begraben wir die und bleiben.

Immer auf halbem Weg zum Vater baut sich die Mutter uns in die Sicht.
– Ich würde euch zu ihm lassen, das ist mein Herzenswunsch, sagt sie, wenn er nicht so immer gegen den Strich wär. Ihr sollt es einfacher haben. Ihr sollt nicht kämpfen müssen. Ihr sollt gerne mit den anderen leben wollen. Ihr sollt dazugehören.

Ihr sollt nicht in Türmen Falltüren ziehen. Ihr sollt Gras riechen, Bohnen hoch und die Pfarrbibliothek benützen, nicht endlos mit dem Auge, keinen Höhenkoller, Kinder, wie wollt ihr denn allein Gospel songs singen und Gefühle kriegen für die Allgemeinheit.

– Ich habe ein spottbilliges Internat gefunden, sagt A am Abend leise, damit Be nicht mit will, zwei lassen sie hier nicht raus.
– Als würden wir nicht mit dir fertig, so sieht das aus, sagt der Vater, sagt die Mutter.
– Die Oma ist krank und ich die Pflege, sagt A, so sieht alles gut aus, ihr spart mein Essen ein.
– Gut, sagt sie, du kriegst auch den roten Koffer.

2 Zum Vater aber sagt die Mutter

– Das ist kein Schielen, Heinz, sagt die Mutter, und keine Bosheit, das ist der Silberblick, wenn sie müde ist.
– Soll sie müde sein, wenn ich essen will? Schäm dich, sagt der Vater, dem jedes Wort auf der Zunge besser schmeckt, als dieser knochentrockne Braten, den Ellbogen auf Brot zu lehnen, A, Be, auch du Ce.
– Ich sehe hier kein Brot, sagt die Mutter, das ist es ja, was ich das Wochenende grau vor Kummer, fürchte, daß es raus kommt, wie ich nicht sorgen kann und kein Brot hab im Haus, euch mit Müsli und Kartoffeln fütter, wie mir die Unverantwortlichkeit im Gesicht steht.
– Das ist ja noch schöner, der Vater nimmt die Faust raus, nicht mal Brot im Haus, wie ihr die Mutter auf mich hetzt, wie die mich fürchtet, wie ihr uns entzweischlagt, sagt der Vater.

Der Vater holt den Bunkermenschen, der mißt den Keller aus, die Mutter schlägt Geschirr kaputt, sie will kein Fluchtleben führen, schreit sie, weg mit der Angst, bis sie sieht, wie das geschickt Steuern spart und der Staat jetzt gern was zuschießt zum Haus, wie sich damit jonglieren läßt.
– Deine Angst, mein Lieber, ist so wirklich wie dein Wagemut, sagt die Mutter, stolz wie die Kasse stimmt.

– Kinder, dieses Haus ist eine Festung, sagt die Mutter.
– Kein Sterbenswörtchen vom Bunker, an die Nachbarskinder, vom Fluchtweg unter dem Haus weg, sagt der Vater, es bleiben nur wenige übrig.
– Ich nicht, sagt die Mutter, ich bitte nicht.

3 Die Mündung steckt im Herz

Wenn einer hier den Tod wirklich kennt, ist es Hansi, der Vogel. Den Hund haben wir weggegeben. Er leckte sich morgens, wir haben den ersten Bissen noch nicht in den Mund gesteckt, die erste Todesanzeige noch nicht aus der Zeitung raus, den Hundepint.
Nachts reißt er Hasen. Ich knacke die Treppe hoch zum Kühlschrank.
– Die taugt nicht mal zum Einbrecher, sagt der Vater.
Als ich den Gouda mit der Gurke in den Mund schob, steckte sich die Mündung in das Herz von mir.
Das flattert. Der Vater bleibt hinter dem Kühlschrank. Er kennt den Schrei und senkt den Lauf. Die Angst sitzt zwischen Knochen und Fleisch. Er hält sich an der Kühlschranktür. Die schwankt. Es ist kalt. Wir zittern, er sagt:
– Du verfressenes Biest, mitten in der Nacht schon Delikatessen. Da schufte ich mir die Seele aus dem Leib, doch nicht, damit es dir heimlich, vor den anderen weg, schon nachts ungeduldig ordentlich grün wird im gurkengeilen Bauch. Mach auf.

Der Mund stand auf. Er faßte rein. Er nahm das Ende der Gurke zwischen Zeigefinger und Daumen. Der Handschweiß biß in die Zunge. Er riß. Den Käsebrei

ließ er den Backen. Ich schluckte. Er stieg die Treppe hoch ins Elternzimmer. Er legte die Flinte unter das Kissen, darauf den Kopf und schlief. Und ich ins Kinderzimmer runter.
– Was war, fragt die Mutter.
– Nichts.

Ich steig in den zweiten, vom Vater gezimmerten Bettstock aufs Stroh, für den aufrechten Rücken und schnür der Schwester, den täglichen Preis für das obere Bett, die Apfelsine vor das schlafende Gesicht. Das rührt sich nicht. Ich hau ihr die Frucht vor den Kopf und zeig auf die Falten im Bettzeug.
– Was krabbelt da, fragt sie.
– Die Käferhochzeit, sage ich.
Ich springe runter und halte die Hand vor den Schrei. Sie beißt rein. Ich will die von oben nicht hier unten haben. Das Licht geht an: quälst du wieder deine Schwester?
Ich will mich nicht umschauen müssen, nach mir, in euch von oben hier unten, in denen ich verschluckt, erschlagen, die Treppen hoch, die Türen, ins Reich, ins getäfelte Wohnzimmer steige, verschwindet.

– Die Hochzeit ist das schönste im Leben der kleinen Tiere, ehrlich, sag ich, sie mögen deinen Bettberg. Sei stolz. Du kränkst sie mit dem Geschrei.
– Werden sie böse?
– Traurig.
Be läßt die Knie sinken, mein Blut tropft aus ihrem Mund.

– Wenn sie traurig sind, morden sie Haus, Hof und Kind und sieh dir mal die Zähne an in meiner Hand, sag ich, sieh dir mal das Blut an zwischen den Falten, die ertrinken, du Leichenbett.
Sie preßt Beine und Lippen zusammen.
– Gut so, hüte unten die Tiere.
A steigt ins Bett und schläft. Dunkel steigt die Frage die Treppen hoch.

4 Die laufen frech in den Tod

Wem rutschen Worte aus dem Mund, die der Vater totschlug.
– Das hab ich nicht gesagt, sage ich.
Gerecht flammt der Vaterzorn auf und will mir schon die Lüge eines Tages, wenn sie ausgewachsen ist, mit Stumpf und Stil aus der Fratze rotten.
– Du sollst alles sagen, sagt der Vater, lügen, stehlen, unzüchtig sein. Du sollst dich nicht erwischen lassen. Ich will kein dummes Kind.
Die Mutter sagt:
– Sie hat so viele Strafen unschuldig eingesteckt, Heinz, erinnerst du dich, weil sonst niemand da war, Strafe muß sein.

Ich will an der Tapete kratzen, bis unter den Nägeln Blut rausschwitzt. Ich will die glühenden Augen zwischen den Wänden hocken, die heraushängende Zunge, mich anklagen sehen.
Ich will zwischen den Büchern im Keller die gelbe Zeitungsseite, das Morden, ich will die Leichen sehen. Da kommt er früher aus dem Büro. Ich stopf sie zwischen Schopenhauer und Kant und springe hinter das Holz. Der Vater stellt die Kreissäge an. Er nimmt ein Brett, sägt und noch eins.

– Essen, ruft die Mutter.
– Wer was versteckt, hat er es getan, frag ich.
– Ach A, sagt die Mutter, du sollst vor deinen Eltern kein Geheimnis haben.

Warum steig ich wieder runter zu den Bildern? Was hab ich Dunkles aufgeschnappt? Was hatte das Haus, in Möschenborn, im Dach, zwischen den doppelten Wänden? Wer flieht und wer soll da versteckt sein? Was ist hier, im Keller zwischen die Seiten der Bücher gesteckt? Was hat die Kreissäge da, für ein kleines Fach? Ich puste das Sägemehl von den 99 Stellungen auf dem roten Kubus, sonst wären so viele nicht möglich mit einem Menschen allein, schreibt Beate Uhse ins Vorwort. Er ist abwaschbar.
– Was hast du hier zu suchen, fragt der Vater, das ist ungesund, das Spionieren. Willst du in der Grube ersaufen? Das könnte dir so passen.

– Das Kind, sagt die Mutter, soll einmal eine Liebe in sich finden, die keinen roten Kubus braucht, schließ die Werkstatt ab, Heinz, das verletzt die Aufsichtspflicht, die Jauchenpumpe, die Grube ist lebensgefährlich. Willst du das?
– Siehst du nicht, wie die alt genug sind? Wir füttern sie durch und die kennen nichts. Die laufen frech in den Tod. Das Auto, der See, alles nur Anfänge einer grenzenlosen Undankbarkeit.

Die Mutter schließt die Werkstatt ab. Der Vater legt mir weiter ineinandergesteckte Körper aus.
Ich soll beschäftigt sein und die Wirklichkeit nicht finden, so stell ich mir das Dunkle vor.
– Siehste. Es verdreht alles, das Lügenmaul, sagt der Vater, immerzu wühlt es hier rum. Im eigenen Haus bin ich verraten. Da klopf ich im Schweiß Stein auf Stein und die schreit es herbei.

5 Wir sitzen am Tisch

Ich huste.
– Die Lungen müssen frei sein, sagt der Vater, spuck aus.
Er mag keine kränklichen Gegner. Als ich wieder an den Tisch komm, schieben die Messer den Gabeln auf.
Die spießen es in den Mund.
– Ist es nicht gut, fragt die Mutter.
Als ich vom Teller hochblick, ruhen die Augen des Vaters auf mir.
– Warum runzelst du die Stirn in deinem Alter?
– Ich fragte mich nur.
– Ich frage hier, dein Vater, wenn du das nicht verwechseln willst, bitte, noch steckst du mich nicht in die Tasche. Noch jagst du mich nicht aus dem Haus.
Die Geschwister ziehen die Ohren zwischen die Schultern. Die Mutter wippt wie neckisch mit dem schwarzen Pumps.
– Es ist gut, sagt der Vater, wehre dich, wenn sich die Frau vor dem Mann auf das Angesicht wirft, ist es vorbei.

Gern glaubt Gertrud an das Wort, an den Mann, aus dem es kommt, als sei es ganz natürlich, als heiliger Geist da hineingelangt, was er mit der Zunge vom Nachttisch weg, aus den Büchern raus, schnappt und gegen sie wendet.

– Oh Heinz, sagt die Mutter.
– Beruhigt euch, ihr Lieben, sagt der Vater, nur eines noch, warum runzelst du die Stirn, mein ältestes Kind?
Ich streng den Kopf an. Seiner wird rot. Die Mutter reibt den Pumps an seinen Waden scharf. Die Kinder schieben sich unter dem Tisch Lackfetzen zu.
– Heinz, laß ab vom Kind, Runzeln ist nicht verboten.
– Muß ich das auch noch verbieten? Was versteht sich hier von selbst? Weiß keiner, was das bedeutet, wenn es so bebt, unter der Oberfläche, im Gewölbe einer aufsässigen Person, die mein Lebenswerk zertrümmert? Da ist die Natter, schaut hin. Im Nu sind wir kaputt. Wir sind vernichtet.
Ist das ein Gesicht, das Geheimnisse hütet? Ist das ein zuverlässiges Gesicht? Unerschütterlich? Felsenfest? Darauf soll ich bauen, Gertrud, wollt ihr alle in den Abgrund mit ihr? Im eigenen Blut sperrt der Feind die Klappe auf und frißt. Das ist der Trick, daß wir lieben, genau da, wo es aus mit uns ist, da will ich nicht hin.

Im Schreck vermehren sich die Runzeln. Er reißt sie vor die Augen der Mutter. Dann vor die Augen von Be, Ce und De.
– Hört ihr es Kinder, fragt er, wie es da drinnen rumort? Wie es stürmt und zischt und gegen die Felsen schlägt, das arme kleine Meer will uns wohl verschlingen, was A? Be, Ce und De ziehen die Füße zurück.
– Was ist das, fragt die Mutter.
– Nichts, sagt der Vater, Gedanken, die in einem Spatzenhirn nichts zu suchen haben, klar?

– Klar, sagen wir.
Die Geschwister sehen mich an. Kein Nachtisch.
Wir räumen ab.
– Nehmt beide Hände, sagt die Mutter, den Pudding kriegt ihr morgen früh.
– Mach mal auf, sagt der Vater.
Wenn das Kind die Hand nicht öffnet, ist was Unrechtes drin. Er sticht rein.
– Der Goldrand, schreit die Mutter, der Sonntag ist hin, es ist nicht mehr vollständig.
– Geschirr, Gertrud, sagt der Vater, nix wie Geschirr, später Kinder, könnt ihr Gedanken haben, heute, wenn ihr wollt. Ballt die Fäuste in den Taschen. Ich will sie nicht sehen. Ich will euch nicht in die Frechheit rein kucken. Ihr werdet mich bis zum Tod, morgens äußerlich freundlich grüßen und abends, klar?
– Klar, sagen wir.

Beim Abwaschen fragt die Mutter:
– Was sind das für Gedanken?
Ich tippe auf die Stirn. Sie wischt mit dem Spültuch drüber:
– Lenk nicht ab.
Ich zieh ihr rechtes Ohr zwischen die Zähne und mümmel, als habe ich sie so, wie früher den Teddy lieb, dem das Sägemehl aus den Bissen rieselt, den die Mutter im Dunklen in die Tonne steckte, was war denn da noch zu flicken? den schlag ich und brumme:
– Armer Teddy.

Die Mutter will die Vertraute sein und kneift mich dahin, wo gleich Grübchen sein sollen. Jetzt, wo der Vater mit dem Rasenmäher über die Wiese jagt und kein Lachen hören kann. Wenn er einen Funken in mir erwischt, den schlägt er tot.

Einmal kommt er. Wir nennen ihn den roten Tag.
Die Erde bricht unter dem Torf weg. Die Tannen fällen die letzten Leute. Die Eimer jubeln und leuchten und stehen als Zeugen da.
Es gibt nicht noch einen solchen Vater, auf der ganzen Welt, der nie fragt:
– Wo bleiben die Eimer, Kinder?
Ertragen wir das Glück.

6 Ertragen wir das Glück

Der Vater jagt durch das Gras, packt ins Haus, wo wir in Hitze und Staub, plaudern und hocken, uns im Genick und schlägt übers Kreuz, die arbeitsscheuen Nasen kurz über dem Boden blau zusammen.
– Ich bringe keinen durch, der sich sein Futter nicht verdient, sagt er.

Am Montag sieht Frau von Schulenburg in die Hefte, in die Hände, in den Kragen und in den Mund, was der zu den Löchern im Hals sagt.
– Die Tannennadeln duften, sage ich.
– Ich warte, sagt Frau von Schulenburg.
– Die Tannennadeln duften nicht nur, sie pieken am Wochenende die Haut auf, den Hals.
Die Lehrerin schneuzt sich. Das glaubt sie nicht.
Die Mutter soll mal kommen.
– Doch doch, sagt die Mutter, die Gartenpflege gehört zum Familienglück.
Frau von Schulenburg sammelt Geld und wirft uns Handschuhe zu. Da stecken wir die Finger rein, die in die Erde und ziehen.
Die Mutter sagt:
– Die Brennessel brennt nicht, wenn du ihr deine Aufmerksamkeit schenkst.

Wie sollen solche Geschenke möglich sein, mit dem
Vater im Rücken, mit dem Rasenmäher in die Steckdose,
an den Strom geschlossen.
Beim Misthaufen, am Rand des Gartens hinten, wo
gleich der Wald anfängt, wartet der Vater auf den
Gehorsam, die Übergabe, die Demut, das durch
die Pfütze kriechen, damit dir später der Stacheldraht
den Rücken nicht aufwühlt, wenn du aus der Gefahr
wegrobbst, mein Kind, sie sind immer hinter dir her,
sei gefaßt, am Wochenende wartet der Vater auf
die Eimer, auf das Unkraut darin, doch A will nicht,
Be nicht, Ce nicht und De ist zu klein.
– Wir gehorchen unsichtbar, sage ich.

Wir stopfen die Eimer voll Unkraut tief in den Boden
unter die Tannen. Wir laufen zum Vater und halten die
Hände auf. Da zieht er, hinter sich, aus der schwarzen
Plastiktüte, den nächsten roten Eimer für uns raus.
Immer wieder. Bis zum Abendbrot.

7 Roswitha

Am Montag stellt der Vater auf dem Weg zum Büro bei Roswitha Sattisong den Motor ab. Er klopft da, wo eben der Kopf des eigenen Mannes noch klebte, der, nachdem er die heiße Milch getrunken, das Radio ausstellte und als er wieder bei sich war, den Drahtkorb über die Augen stürzte, zu den Bienen runter lief, an ihr Herz.
Hier warten die roten Eimer für die Kinder auf den Vater. Hier kommt die menschliche Güte so ungefähr her, abseits von der Straße, während dich schmutzige Hühner begackern und böse Gänse schnattern, dem Imker Hörner zum Draht raus wachsen, wuchert das Glück, wie oft, anderswo.
Wenn der Vater die Eimer jede Woche hätte kaufen müssen, wäre alles verraten. Wie hätte er, in welchem Laden auch, da gestanden. Wie hätten die Leute gelacht. Wie wäre er zu einem Nichts zusammengeschrumpft, das nicht mal Frau und Kind in Schach hält.

– Erzähl mir vom Gartengeräteladen, sagt der Vater. Roswitha schweigt.
– Vom Vater darin. Eimern und Schaufeln, die niemand mehr wollte, von seinem Ruin, von seinem Tod, los, erzähl vom Vater.

Roswitha schweigt.
Der Vater schlenkert die schwarze Tüte mit den Eimern drin über das Gartentor und läßt den Motor an.

Am Abend schließt er, mit praller Tüte im Rücken, das Garagentor. Die linke Hand tätschelt den Kühlerhaubenbauch. Niemand schreit um Erlösung. Der grüne BMW ist echt Leder innen, nur einmal im Jahr zugelassen, wenn er das Wohnheim im Sommer ans Meer zieht. Nach Dänemark.
– Wenn der Vater nachts, im Schlauchboot mit dem Außenmotor, mit der Tochter zu den Fischen ins Meer sticht, da hat sie doch einen Vater gehabt, sagen die Leute.

8 Der Vater sucht die Mutter

Beim Abendessen läuft das Eigelb aus. Der Vater am Tischkopf führt es zum Mund.
– Gertrud, jetzt sind es zehn Jahre her, daß ich dir zum erstenmal sagte, der Vater tunkt den Schlips ins gelbe Kinn, und wieder keine Serviette.
Siehst du, wie es mir runter läuft? Und wieder der Schlips. Der ist versaut. Das geht nicht raus. Das sieht nach Eiter aus. Nach Entzündung. Nach unerledigten Problemen. Nach Pubertät. Nach Pickeln. Wie steh ich da? Das ist erniedrigend. Das soll ein Beispiel für die Kinder sein? Ich sag dir was: ich sollte endlich schonungslos wissen, was sich hier tut. Es ist abgemacht. Wir bleiben zusammen. Niemand verläßt den Tisch. Es gibt keine Veranlassung raus zu rennen.
Wenn ich von der Arbeit komme, tretet ihr an.
Hier wird sich nicht in die Löcher verkrochen. Ich will kein Kind in seinem Zimmer sehen. Diese Einzelzimmer, da war ich immer dagegen, Gertrud, du achtest darauf. Ich werd hier nicht weiter umgangen. Von Niemand.

Be schreit.
– Du sollst nicht schreien, Be, du bist so haltlos darin. Du mußt dich immer schön zusammenhalten, hörst du, du auch, A und Ce.

– Aber, sagt Ce.
– Ich bins ums Verrecken nicht gewohnt, daß mich wer anschreit. Es gibt Dinge, die kommen in meinem Leben nicht vor.
– Hier schreit niemand, Heinz, sagt die Mutter, wir sitzen alle am Tisch.
– Du hast uns immer angeschrien, schreit Ce.
– Entschuldige mal, Ce, ob ich euch anschreie, schreit der Vater, davon ist keine Rede. Als Kind hab ich gesagt: die Kinder müssen gehorchen. Meine ja. Unbedingt. Gehorsam. Sonst kann ich mich gleich aufhängen.
Ich bin für dieses deutsche Wort. Gegen diese Bosheit, die auf mich zukommt, dieses Gleichberechtigte, ich bin dasselbe wie du, dagegen geh ich vor.
Die Mutter heult. Der Vater sagt:
– Was ist?
– Das tut mir weh, sagt die Mutter, ich will dich glücklich sehen.

– Weh tun, lacht der Vater, was ist das schon wieder? Tut weh, wenn sich meine Herzkranzgefäße zusammenziehen?
Noch ist es in Ordnung, mein Innenverhältnis zu euch. Ich bin immer für euch da. Soll ich Liebe sagen? Die Sorge des Vaters für das Kind. Solang es schwach ist, natürlich.
Der Vater steht auf.
– Warum seid ihr gegen die Natur? Die Stute kümmert sich um das Fohlen, solang es Hilfe braucht. Das ist der natürliche Lauf. Mensch Leute, die vielen Verhältnisse der vielen Kinder, die außer Hause sind und wieder

kommen, ist das normal? Das sind Besuche und aus.
Na gut, ich küsse nicht. Ich hab ein kühles Verhältnis zu meiner Mutter, obwohl es intakt ist, das wissen alle hier, Liebe, wo ist die?
Die Mutter ist nicht kühl, sie ist nicht frostig, der Vater ist nicht kühl, frostig ist nicht das richtige Wort.
So ähnlich wie frostig. Das ist die Masche auf dem platten Land.

Der Vater setzt sich.
– Und Gertrud, Finger weg von den Eiern.
– Noch was, fragt Gertrud.
– Was du nie machen konntest, so richtig nett zubereitet, gut gewürzt, nie, deine Koteletts klappen nie. Wenn ich dann nicht mal Entspannung kriege, wegen dem Papst, mein Gott, wie bin ich fleischlos hin und her geworfen. Bin ich weniger als ein Tier?
– Iß, sagt die Mutter, iß. Siehst du nicht die Kinder, wie sie dich ansehen, Heinz?

Der Vater wirft entsetzte Augen in die Mäuler der Brut:
– Ich halte das Gekäue nicht aus. Ich halte die Kinder nicht aus.
– Ich stand vor der Pfanne mit dem Messer in der Hand. Wie jetzt vor dir und wollte es tun.
– Du hast es nicht getan.
– Ich verhunger, sagt die Mutter, ich bin innerlich am Verhungern.
– Da haben wir den Salat, sagt der Vater, der Mann ernährt die Frau, das nährt sie nicht.

– Genug, sagt die Mutter, du hast mir die Worte vom Nachttisch gestohlen. Du redest blind. Du Jauchenbub.
– Druck auf die Milch erzeugt Butter, der Vater wendet eisern Bildung an, Druck auf die Nase Blut.
– Druck auf den Zorn erzeugt Streit, sagt die Mutter, ich hätte es so gern getan.
– So, überschlägt sich die Stimme des Vaters, da, wo ich dich liebe, bist du nicht, mit aller Sorgfalt beim Ei kann ich dich mein Leben lang suchen.

9 Der Vater hat Geschenke in der Hand

Wir knallen leer leicht gegen die Decke. Wir spazieren Wände ab und kleckern. Wir kichern. Wir wissen nicht mehr wo wir sind und ob und was uns etwa fehlt. Wir stürzen auf den Teppich in Erdnußwürmchen und Cola.
– Kommt langsam runter, Kinder, die Mutter beißt sich in die Hand, vielleicht kommt er schon in der Nacht.

Von Dienstreisen bringt er was mit. Sie wollen die Hand. Er weiß nicht, wo er es hinlegen soll. Wie sie immer wilder nach der Hand verlangen, weiß er wirklich nicht, wie er sie geben soll, ohne alles drin zu zerbrechen.

Er ballt die ganze Liebe zur Faust.
– Wie oft stand ich, steht die Mutter wieder auf, in Lingen neben dem Herd der Mami und schaute ihr über den Arm in die Hand. Wie sie mit dem Messer das Häutchen über den Berg schob.
– Sie hat kein Mal das Dotter verletzt, bei meinem Leibe nicht, Gertrud, so eine Liebe gibt es nicht wieder.
– Sie ist zwischen Hühnern groß geworden, Mann. Sie tötet und rupft noch heute. Da schützt sie das

Dotter in der Pfanne natürlich, das Kinn, den Kragen,
die Lieben am Tisch vor dem eigenen Mann.
Die Kerle morgens um den Pumpernickel im heißen
Pfannenfett haun sich den Speck von den Gabeln,
da steckt sie die Rosenseife in den Waschlappen, schau
nur hin, Heinz, in Zeitungspapier gewickelt, naß,
unter den Besteckkasten in die Tischschublade.
– Was, sagt der Vater, sie hätte nur für sich allein rosa
Seife versteckt? Du lügst.
– Der Mann will betrogen sein, wenn du die Kniffe
kennst, ist es sein Glück, sagte sie von Frau zu Frau,
sagt die Mutter.
– Dann kenn sie doch.

Sie wären zu retten gewesen. Sie hätte die Eier kochen,
schrecken, schälen, ins Hackfleisch stecken und in
die Bratröhre, als falschen Hasen schieben können.
Den hätte ich zwar im Bunker kaltgestellt, mit den
Fingern ausgenommen, mit diesen Fingern auch
geschworen, ich sei es nicht gewesen, was seine Finger
in meine Nähe bringt, die einzige, hinten drauf, die
so entzückend schmerzt, nach der ich verrückt bin,
die einen Papa hat, der alles nur aus Liebe tut.

– Wenn Bratei, er steht auf, drückt sie nieder, spuckt es
über den Tisch, dann ohne Haut. Mit heilem Dotter.
– Du bist ja gar nicht ausgeschlüpft, der
Zärtlichkeitsanfall der Frau legt sich auf den Mann.
– Du willst mein Glück nicht und aus, sagt der.

Die Eltern verkaufen das Haus. Niemand sieht unter den Tannen das Blinken der Eimer, niemand sieht den Familienschatz. Der Vater ist zu stolz. Die Mutter weiß von nichts. Sollen wir vier den Käufern den Boden aufreißen:
– Welches Rot, welche Morgenröte, welcher neue Tag, schaut mal, wie reich das Haus im eigenen Saft hier unverkäuflich schlummert.
Wir haben die Koffer noch nicht gepackt. Es gibt viel zu tun. Der Vogel will auch mit.
Der BMW zieht den Wohnwagen in die erste Zwischenstation den Pustenberg hoch, hinter das Haus von Oma und Opa, zwischen Kellertür und Garage, dahinter fällt der Rasen zu den Hühnern der drei Fräuleins ab. In der neuen Stadt kennt der Vater nichts und erzieht.

10 Oma und Opa sterben allein

Als der Opa starb, kroch die Oma in die Küche.
– Gertrud, geh du zum Vater, sagte sie zur Tochter, du schmeckst dem Tod noch nicht.
– Mutter, geh du, du hattest nie Zeit, es zu fühlen.
– Was denn, fragt die Oma lauernd, warum hast du den mir vom Krankenhaus raus ins Haus gebracht, gegen jeden vernünftigen Rat des Fachmanns?
Als sich die Lunge des Opas mit Wasser füllte,
– das ist kein Tod für zuhause, Frau Franzen, sagten die Ärzte, als das Wasser immer höher stieg, will er zur Hand der Oma greifen, zu all den Jahren, Änneken, an deiner Seite, da liegt die Tochter da und hat den Arm nicht in den Ärmel gesteckt.
– Wo ist die Liebe, fragt der Handdruck des Opas den leeren Pyjama neben sich.
Die Tochter stopft die Kissen in den Rücken. Der bricht.
Er hat mit Blick in den Garten und über die Stadt, Hand in Hand mit der Oma sterben wollen.

Bittrer als der Tod ist das Weib, ein Fangnetz, ihr Herz ein Garn, ihre Hände Fesseln. Der Opa richtet sich ins Schwarze und stirbt.
Die Oma folgt langsam ganz allein, wenig später.

– Da ist sie, sagt der Pfleger und zieht die Oma aus dem Kühlfach.
– Nein, sagt die Tochter, wie mager.
Die Mutter hat den Sarg schließen lassen, wegen den Verwandten und den Vorwürfen. A sagt zur Oma:
– Verzeih.
– Die Gnade ist dem Himmel nicht abzugaunern, mein Schätzchen, sagt die Mutter, da gehört ein Opfer hin.
A fragt, ob sie vielleicht die Worte opfern soll.
Da sagt die Kuh:
– Man kann nur opfern, was man auch besitzt.

11 A fühlt das Vogelfau von Vater nicht

Ich schleiche auf den Balkon und steck die Meckybilder in den Schnee für den Nikolaus.
– Gute Nacht, die Mutter schüttelt den Schnee von den Fingern.
– Wo warst du, frag ich.
– Wer sich selbst nicht gibt, mein Kleines, gibt lieber was anderes her, was?
Die Meckybilder sind das beste an mir. Ich versuche es noch mit der Liebe, die ich kenne: der Vaterunser Liebe. Weiß aber, daß sie, wenn sie nicht messerscharf von Herzen kommend jeden Buchstaben durchdringt, gelogen und schlimmer, als gar keine Liebe, den Vater im Himmel bitter schmerzt.
– Wenn Gott leidet, Kind, sagt die Mutter, leidest auch du.

A riß die Augen auf und fühlte das Vogelfau für den Vater, das a und beim t sieht sie das Kreuz, wie Gott schon wieder an ihrer Liebe leidet.
– Siehst du die Wurzel allen Übels, wie sie Verräter schafft? Du sollst die Liebe nicht begehren, sagt die Mutter.
A hat die Liebe verraten. Sie schreit:
– Schlag doch tot. Schlag doch tot.

12 Die Liebe verwandelt sich

Dann sieht sie das Auge auf dem Teppich, wie zerbrechlich wir aus dieser Perspektive aussehen. Das riß ihr den Mund auf. Sie will nicht schlucken, was sie sah. Da sie die Lippen nicht aufeinander kriegte, kroch sie ins schwarze Loch der Pupille. Da liegt der Opa in ihrem Arm und stülpt sich um, verwandelt sich hin und her und will, als ein Zeichen der Liebe, von ihr gegessen sein. Sie schließt den Mund.

13 Wie böse bin ich wirklich

Endlich hängt über dem Bett der Fisch an einem
Nylonfaden. Ich beug mich über das Kind. Es wacht
auf, sieht in mein Auge und schreit.
Es rollt sich zur Seite. Ich liege dahinter und geb den
Rücken her für das Böse, das sich durch mich
durchfressen muß, wenn es das Kind will.
Wenn es schläft, steigt es. Ich wimmer mich in den
Morgen und warte, daß es runter, zu mir plumpst.
Was hat mich bloß so schwer gemacht? Beim Aufstehen,
was machst du denn hier, Mami, stößt mein Kopf
den Fisch. Er ist aus Papier.

14 Auch wer flieht hat Hacken

Du bist das Fremdeste, was sich in meiner Seele findet.
– Warum erregst du uns nicht beim Waschen?
Schwamm drüber, glaub ich nicht, daß die Frauen das
Flechten erfanden, um mit ihren Schamhaarmatten,
den Blick auf das, was da nicht ist, abzudichten.
Die unbefriedigte Mutter verwandelt sich in die Angst
der Kindertage. Sie kneift das Arschloch zu und kriegt den
Krampf in beide Waden runter, die dem Vater mit dieser
ungeheuren Behaarung, selbst in der Verliebtheit, in Küppers
Büschchen schon nicht gefallen wollten und rennt.

Die Mutter sucht Rat.
– Ich habe Angst, sagt die Angst, vor dem, was nicht
durch Lust erledigt werden kann.
– Anus, sagt Abraham, du bist den Dickdarm Stück für Stück
hinuntergewandert, Urmund, richte dich auf. Räche dich.
– Vagina, du nichts, mein Liebes, bist dem Enddarm
abgemietet, wirft Lou Andreas-Salomé der Fliehenden auf
die Hacken.
Der Vater packt sie bei den Ohren und dreht sie um:
– Für das mußt du kein Geld weg tragen, das geht mit
guter Butter geschmiert, wie prächtig diese Enge hier ist.
Der Vater schruppt den Stengel satt und kann endlich
wieder einmal herzlich schlafen.

15 E wird nicht gezeugt

Wie oft die vierte den dritten schubste, die zweite stolperte, die erste nach hinten fiel und vier in den Abgrund sahen. Wie oft vier nachts, im offenen Fenster, die Eltern tot wünschen. Die doch im Ford jedesmal die Biegung nahmen, den buckligen Möschenborn runter, an Hannelorens dreckigen Hühnern vorbei, uns mitten in der Nacht den herrlichen Zustand rauben. Die traurigen vier Waisen von Möschenborn 17 können wir begraben. Wir rollen den Blumenkohl auf die Treppe und atmen gleichmäßig.
– Ein anregender Abend, Heinz.
– Wie Hugo dich angesehen hat.
– Und Marianne.
– Pauls Spucke schlug Blasen.
– Isabelles Zungenspitze war auch nicht von Pappe.
So hätten sie sich ins Verlangen gesteigert bis zu Kind 5 ab in den Uterus. Der Blumenkohl kullert sie in den Keller. Da bleiben sie vor unserer Tür bis zum Morgen, ineinander geschmettert.

– Kuck mal raus, sage ich, was da liegt.
– Sie sehen so blau aus, sagt Be.
– Die Bügeldecke reicht nicht. Hol den Filz aus dem Bunker, sag ich.

– Nicht in den Bunker.
– Sollen sie vor unserer Tür erfrieren? Sie kriegen kranke Blasen und Nieren. Hol mir Tee. Hol mir Zwieback. Ihr bringt mich noch ins Grab. Willst du das hören?
– Geh du.
Wir steigen in den Bunker und wickeln die Eltern mit Filz für den Krieg, gegen das Erfrieren ein. Wir sitzen im unteren Bett mit Bunkerschokolade und eingelegten Zwiebelchen, bis wir nicht mehr können.

16 Niemand sieht den Vater

Ein einziges Haar wird gekrümmt und wir schreien,
bereit, bei neuen Amputationen wieder zu schreien.
Einmal riß uns die Milz beim Sprung der Schwester aus
dem Fenster des Bruders. Da fühlten wir stündlich
den Puls, fürchteten das Verbluten, zählten ohne Ende,
Organe ab, die wir verlieren könnten.

Hätten wir alle doch einmal nicht mehr beherrscht
gelacht, gezittert, wäre die Erde gerissen und wir, von
der roten Güte des Vaters, unter den Tannen prächtig
empfangen. Ich wär gerne zärtlich in den Mund
genommen und wenns ein Eimer wär, wenn einer nur
willkommen sagt und ich ihm schmecken kann,
gehör ich dir.

Hörst du mir zu. Will ich mit dir verschwinden. Es
ist dunkel, wirklich in dir, wo bist du. Welche Hände
werfen Erde auf uns, ich steig aus, steck in deiner
Geschichte, hör ich dir zu.
Wir sind uns aufgeschnallt, von wem, huckepuck
schnaufen wir uns, Berge hoch und runter, immer
verlieren wir Wasser, wessen Spaß ist das, darein sehen,
spucken, Fluß dazu sagen, was wir sind, Fische
erfinden, die von uns trinken.

Natürlich gehören sie sich. A buddelt aus, was der Vater nicht wissen will, die ganze Angst gibst du uns zu fressen, die kotzt ja auch und hält den Atem an, die will das nicht wissen, doch du. Wer ich. Wo sind wir alle zusammen tot und lebendig.

– Der Zug kam an. Die Mutter stieg aus. Die leeren Ärmel des Mantels, der über seinen Schultern hing, fielen um ihren Hals, als habe er vier Arme, um sie zu halten, erzählte ein Sohn.
– Das stand ihm vor Augen, wenn man in den kommenden Jahren schlecht von seinem Stiefvater sprach, erzählt David Irving von einem anderen Vater und Sohn.
Das seh ich mit den Füßen auf dem Boden, auf den roten Eimern des Vaters, unter dem Torf unter der Tanne, die niemand sieht, da steh ich nicht wirklich. Auch der Tag bricht nicht an.

17 Das neue Haus

Wie fein und lieblich es ist, wenn Brüder beieinander
wohnen. Wie ein Vogel ins Garn eilt, bis der Pfeil ihm
die Leber durchbohrt, ruf ich hier den Vater wach,
der in größter Kälte, in den Schlaf gefallen ist.

Die Mutter hat zwei Wünsche an das neue Haus:
Einbauschränke mit gestapelter Wäsche, die Brüche nach
vorn und Bettkästen unter den Betten und keinen Staub.
Nur mein Schrank ist feist und frei im Raum mit lila
Tuch, passend zum Vorhang, zum runtergesetzten
Blütenmuster, das mit seinem Grün in allen vier Zimmern
die Temperatur senken soll, mit weißen Ziernägelchen
in die alten Leisten geklopft. Das soll meine Buße sein
für die drei Quadratmeter mehr in Nummer 4.
Das Waschbecken für die Zeit des Rasierens, die der
Vater schon, seit das erste Kind der Mutter im Bauch sitzt,
fürchtet, soll Patschke in mein, nun schließlich unerhört
großes Zimmer installieren, für ein Kind.
Und dann ein Mädchen. Und dann das Studieren.

– Wenn es ein Mädchen wird, nicht, stippt Heinz die
Mutter mit dem Saft, der mich ins Ei trieb, am Finger in
den Bauch, den ich bald wölbe.
– Wenn sie der Mann, den sie kriegt, mit den Kindern,

mit Verlangen im Schoß und zipfelnden Hämorrhoiden
im Stich läßt, du wirst nicht für sie zahlen wollen, und
die Enkel, sagt die Mutter, sieh dich vor.
So reden sie über mich, kurz nach der Zeugung in
Küppers Büschchen.
– Jetzt bin ich eine Frau, sagt die Mutter.
– Zum Teufel, sagt der Vater, sie studiert nicht.
Genau aus dieser Hölle her, spürt sie mich siedendheiß
nahen.

Wer zuerst die Liebessehnsucht der Jungfrau befriedigt,
wird von ihr in dauernde Verhältnisse gepreßt. Sie sollte
den Mann auf der Höhe der Umarmung, wenigstens
dankbar an sich ziehen und ihm nie endend gehören.
Er wartet auf das Gefühl.
– Heinz, es kommen glücklichere Zeiten, sagt die
Mutter in sein leeres Gesicht.
– Ins Gymnasium nicht, sagt der Vater.
– Doch, sagt die Mutter, da leg ich mich für krumm.
– Sie soll sich hochkämpfen, das gibt Muckis, kneift
Heinz die Gertrud zärtlich in den Bizeps, ich bin noch
nicht greifbar und komm doch schließlich nicht
in keine Welt, die mich auf Rosen bettet.
Er geht mal lieber nicht zu weit für heute und schiebt
die unberechenbaren, ausgebildeten Töchter hin und her
in seinem Kopf. Bei einem Sohn will er nicht so sein,
der muß ernähren, kaum steckt er fest.

Mamma mia, es ist alles so schnell gegangen. Bald drängeln stoppelkinnige Söhne, wetzen die Messer, stellen das Waschen der Körper mutwillig ein.
– Schnell das separate Waschbecken her, in Zimmer 4, Gill, und billig.
– Nummer 4 will ich nicht, auch wenn es größer ist, sagt der Bruder, ich will nicht in eine Reihe mit den Mädchen, ich will freie Bahn zum Zimmer raus ins Ruderboot, weg da, ihr Einbauschränke.
– Der Junge gehört an den Kopf des Flurs, der braucht eine Aussicht, sagt der Vater. Zimmer Nummer 1 für Ce und basta, geht ihm aus der Schußlinie, Mädchen.
Ich soll nicht umsonst das Waschbecken haben in 4, das mir nicht zusteht, sagt der Vater, wenn man dir den kleinen Finger reicht, ist er ab.

– Glasbausteine zwischen Elternbad und Kinderdusche, Gill, sagt der Vater.
– Sie wollen sie beim Duschen im Auge behalten?
– Gill, sagt der Vater, hätten Sie mir lieber das Grundstück verkauft, als anständiger Mensch. Müssen Sie mein Architekt sein?
– Es gibt da ein Glas, Fisch.
– Gut, Gill.
– Und in die Diele?
– Glasbausteine.
– Wie untauglich dieser Mensch ist, sagt Heinz, diese Strafe.
– Die Butzenscheibengemütlichkeit ist hin, sagt Gertrud.
– In der Sackgasse sind Butzenscheiben Verschwendung, sagt der Vater, wenn niemand vorbeikuckt.

18 Dann fließt Blut

Kurz nach dem Blumenkohl auf der Treppe, nach dem Fest und Pauls Spucke, nahm die Mutter mit Abschied vom Papst die Pille, die ihr bis zur Menopause unvorteilhaft in den Bauch schlug und die Backen zufrieden blähte.
Der Vater wußte nichts vom Bruch mit dem Papst und hütete sich nach wie vor nach dem Blumenkohl und Isabelles Zungenspitze vor dem Ein und Austritt in die Mutter. Die zuckt täglich leer durch den Haushalt auf unseren Nerven rum.
A war bereit die drei Quadratmeter mehr in 4 zu büßen und hätte den Schrank ausgehalten, wenn sie in ihm ihre Kleider verläßlich gefunden hätte.
A war bereit, die Faust ins Auge der Schwester zu boxen, damit Lehrer Winterhagen, der Be so gern mit stämmigen Armen und Spott auf den Klassenschrank hievt, dieser mit Trostgefühl, über das stumpfe Haar, zum Glanz verhilft, einmal die Woche.

– Wer war denn das, meine arme Kleine, Winterhagen vergißt das th, das sie immer noch nicht sprechen kann.
– A, sagt Be.
– Ich werd mir diese A.
– Das wird er nicht, sagt Be, du bist ihm zu schwer.

– Wenn du groß und kräftiger als die Mutter bist, mit diesem Gesicht kannst du auch gleiches leisten, der Vater drückt A den Schrubber in die Hand, du frißt ja auch soviel, fang mit dem Keller an.
– Sie ist im Wachstum, sagt die Mutter, ich brauche Schonung, bitte, Heinz.
Mein Brustkorb steht ihrem voran. Wer so robust wuchert, braucht die Heckenschere.
Die Mutter schrumpft in meine Hand. Sie wimmert das Elend unter meine viel zu kurzen Nägel. Meine Schulter ist angeheult und verrotzt.
Sie wollen meinen Rat. Sie wollen meinen Trost.
Sie nehmen meine Hand und wixen. Sie sperren mich aus. Da rammt die Wucht die Tür aus der Angel.
Der Bruder und der dicke Franki springen durchs Fenster ins Feld.

– Warte nur bis Papa kommt, sagt die Mutter fassungslos.
– Kommt alle her, sagt der Vater zu den Augen in der Hecke, Franki, Hannelore, Jörg, das hier gibt es nicht.
Zeig genau, wie du es gemacht hast, A.
Da schwillt die Brust von Ce, der eine Mordsschwester hat, die nimmt Anlauf. Die Mutter hält sie zurück.
Der Vater weiß warum. Sie schieben A in die Küche.

Ich schlage. Das ist nicht leicht. Die stolz in den Blick des Bruders gehaltene Faust blutet die Knöchel runter ins Achselhaar und krustet.
– Den blauen Fleck erhalten wir, sagt Be, wenn wir schon mal so weit sind.

– Wir machen weiter, ich lenk die Faust an ihrem Ohr vorbei, warum eigentlich?
Be fächelt mit der neuen Einbauschranktür.
– Er ist kein Schwein, weißt du, der Winterhagen ist ganz nah dran, mich zu schonen.
– Spiel dich nicht auf, sag ich, wer hier Narben hat, das bin ich, die zieht mein Kinn lang. Das ist ganz allein mein Gesicht.

Ich stehe am Rand und sag zu den Beinen:
– Rennt los.
Die Augen sehen das Auto von links:
– Stop, sage ich.
Der erste Befehl an die Beine war stärker. Die rennen. Das Auto stößt mit der Schnauze den Körper durch die Luft. Der fällt auf die Straße, in diese Ecke, in der ich mit Eisen, mit Gartenschlauchgeschmack, mit Blut im Gesicht ein Klotz bin, bis der Vater abends im Auto an mir vorbei, dieses Gesicht, blutig wie die Sau, Frau, knapp wiedererkennt und einpackt.

– Am Verstockten hab ich sie erkannt, sagt er zum Arzt, wie konnte das passieren?
– Ich bin vom Bürgersteig gefallen, sage ich.
– Das Kinn ist auf. Die Kleider stehn im Blut. Mit mir machst du das nicht. Schröppgen, nähen Sie das freche Kinn mit großen Stichen zu.
– Aber, sagt Schröppgen, wie wird das aussehen, später? Sie wollen nicht ewig zahlen. Ich kenne Sie, Fisch, einmal muß sie wer lieben. Sie schneiden sich ins eigene Blut.

Die Mutter weint. Schröppgen tupft die Träne mit Zellstoff weg.
– Morgen steht in der Zeitung, wie alles wirklich war, sagt er, schlafen Sie.

– Nun schlag doch, sagt Be, hab dich nicht so.
Der Bruder hält kühle Tücher bereit. A will ihn nicht enttäuschen. Ce liebt Sport über alles. A soll er auch lieben. Es soll was zu kühlen geben. Der Vater will Gummiecken anbringen. Heimlich gefällt ihm die schneidige Sache.
– Willst du dem Treiben kein Ende setzen, fragt die Mutter.
– Besser, Gertrud, es geht rauh her als gar nicht, sagt der Vater.

– Warum tut sie das, fragt Winterhagen, mein armes Kleines.
– Sie stiehlt auch meine Kleider, sagt Be.
Da hat A genug und schlägt Be alle Ecken blau, die sie Winterhagen nicht zeigen kann,
– wenn sich noch was Scham in dir zusammenkratzen läßt, sagt A.

19 Wie kommt die Liebe ins Bett

– Es ist niemand da, kommen Sie, sagt der Vater.
Patschke wird vom Vater, ganz natürlich als Installateur,
in meine Quadratmeter gestellt, am Abend, Schwarzarbeit.
– Die Tropferei hier im Zimmer, Patschke, die hört
auf, der Vater reicht den Hanf, wenn Sie das
abdichten wollen, ich hab nichts zu verplempern.
Ich hasse Schludriane, diese lockeren Sitten im
Handwerk, bringen Sie endlich das Becken an.
– Es soll grün sein, sagt A, ich rasiere mich wirklich nie.
Patschke zahlt das Grün aus der eigenen Tasche.
– Soviel Schwäche in einem einzigen Mann, lieber
Patschke, Sie übertreiben, sagt der Vater.

Wer hat den Schlafanzug geklaut?
Nackt lieg ich im Bett und lese über die Liebe aus der
Bibliothek, die ich im Schweinsleder mit kaputtem
Reißverschluß ins Haus geschleift habe.
Am Fort Elisabeth kauert die Mutter auf der Mauer
von Chefredakteur Dexheimer.

– Solche Leute sind die Pest, sagt Herr Emilius.
– Wir laden sie ein, sagt Frau Emilius.
– Wenn Sie ab und zu nach Ihrem Unkraut sehen,
sagt Frau Emilius, wir lieben unseren Garten.

– Wenn Sie unseren Jungen brauchen, wenn Ihre Älteste Speis mischt, auch abends, genieren Sie sich nicht, sagt Herr Emilius, das schadet ihm nicht, er soll das Leben kennenlernen. Und natürlich A.
– Natürlich, sagt Gertrud, ich bin für die koödikative Erziehung. Die Platten in der Garagenauffahrt sind fast gelegt, wenn Sie das gesehen haben? Schnürchengerade. Wir haben uns ganz Ihrer Auffahrt angepaßt.
– Nicht ganz, sagt Heinz, wir wollten etwas Dauerhaftes, wir bauen nicht alle Tage.

– Dieser Mann ist bescheiden, nuschelt Emilius männlich.
– Steck die Zähne rein, wenn du mit mir sprichst, faucht Emilius weiblich.
Emilius fischt die Zähne aus dem Kukident:
– Er hat kein Mal seine Herkunft geleugnet, diese Schreckens und Hungerjahre, diesen verwaisten stumpfen Vaterweichensteller, die eiserne Mutter und der Krieg im U Boot erst mal. Und der tote bessere Bruder von beiden mit dem Lächeln. Die faule Schwesternschlange, der katholische Schwager, die unsportlichen Kinder und der Papst, was diese Leute hinter sich haben.

Wie hab ich mich geschämt, als der Eckerhardt Emilius sich spät abends noch in die Kleider steckt.
– Raus mit dir mein Sohn, sagt Emilius männlich.
– Was ist das, fragt der.
– Betonmischmaschine, sag ich, B, wie bekloppt.

– Du mußt dir das wohl verdienen, keucht der.
– Was, frage ich, kannst du nicht mehr?
– Daß du neben mir am Stadtrand wohnst.

– Wo sind die Kinder, wollen sie uns nicht begrüßen,
fragen Emilius, wir haben Schokolade aus der Schweiz.
Eine Familie im Hausbau muß ja so schrecklich sparen,
vier Stück, das ist eine stramme Zahl.
– Wir haben spät damit angefangen, sagt Frau Emilius,
wie ich das frivole Zwinkern hasse, in deinen Augen,
wird sie kaum zur Tür raus sagen, hol Eckerhardt
aus dem Bett, denen zeigen wirs.
Wir hocken im Wandschrank und hätten für nichts der
Welt uns gezeigt.

Zwei Männer tragen das Gerät ins Haus.
– Wer vor meinen Augen in der Regentonne dreimal
untertaucht, ohne Zittern, der darf heute nachmittag
Fury kucken, sagt der Vater.
Wir sollen Charakter kriegen. Der macht uns fürs Leben
parat. Die untertauchten, sahen nachher Fury, dann
haßten sie die, die nicht untertauchten. Die nicht
untertauchten, haßten die, die untertauchten sofort.

20 Der Chefredakteur der Mainzer Zeitung

– Schau raus, Hermann, sagt Sofie zu ihrem
vielbeschäftigten Mann, sitzt da draußen auf dem
Mäuerchen nicht deine liebe Mütze?
Es war die Pudelmütze von Hermann Dexheimer, die er
mit schwerem Herzen durch die Hände der eigenen Frau
der Caritas ausgeliefert hatte.
Frau Fisch hatte die Pudelmütze auf dem Bazar gekauft.
Sie wollte darin unerkannt, mit der Tochter vom
Fort Elisabeth aus, die Liebe aus der Bibliothek ins
Haus rein schmuggeln und natürlich die Bildung.
Die Mutter macht den Nacken steif. Sie schlägt den
Kragen hoch. Herr Dexheimer legt der Frau die Beute
aus Peru ins Staubtuch. Er kramt in seiner Kinderkiste.
Er tritt das Gartentor auf und streckt den passenden
Schal mit Schnitt und Schnatt den Enten hin.
Frau Fisch wickelt ihn um den Hals.
– Worauf warten Sie?
Die Mutter erzählt. Chefredakteur Hermann Dexheimer
kniet sich aufs Mäuerchen. Da keuche ich um
die Ecke. Die schöne Elke Dexheimer ist meine Freundin,
seine Tochter, ein Pfundsweib, findet Vater Heinz,
diese Haarpracht den Rücken runter.

Heinz hupt. Frau Dexheimer setzt Kartoffeln auf.
Herr Dexheimer bedauert sinnlose Verluste.
– Ich hasse dich, schreit er die Kartoffel im Topf an,
du hast mich verführt mit deiner Vernunft. Kocherei.
Wohnkultur. Mit deinem immer alles über mich
viel besser wissen. Mit deinem Griff in meine Kindheit,
die ich an die schrecklichen Fischs verraten habe.
Weißt du, was das heißt, auch nur eine Mütze von
einer Fisch zu sein?

– Na, wirds bald, Madonnen, sagt der Vater, glaubt bloß
nicht, wer ihr seid, der paßt dir wohl, so ein Studierter?
– Paßt dir nicht seine schnieke Frau und Elke, paßt
die dir nicht viel besser, als die eigene Brut?
– Soll ich Blutschande treiben?
Die Mutter steigt vorne und ich hinten ein. Wir lächeln
mysteriös.
Die Tasche stand noch auf der Straße. Nachts schlich
ich raus und nahm sie rein. So kam im empfindlichsten
Alter die Liebe ins Bett.

21 Patschke weint

Beim Eintritt der Herren stopf ich die Liebe unter das Kissen und zähle wild wie Algebra.
– Darin ist sie, Patschke, todschwach, sag ich Ihnen, wer mit Phantastereien die letzte aufrechte Zahl im Hirnkasten schlabbrig macht, in keine Addition, in keine Subtraktion, in nichts Vernünftiges bringen Sie eine solche Zahl, die durch diesen Sündenpfuhl gewatet, von Grund auf an verzärtelt ist. Da schleicht sich eine Disziplinlosigkeit ins Leben, Patschke, mir wird ganz bang, wenn ich das weiter empfinde.
– Sie haben Angst?
Den Vater schüttelt das Lachen.
– Patschke, wenn es Angst gibt im Haus, ist es nicht meine. Wenn das Fräulein hier, nicht so unsportlich und gelogen, so kraus wie das Kopfhaar wär, na, da wär es doch gemütlich mit uns drein. Nicht A?
Die Glatze von Patschke wird rot. Die Locke allein schon soll den Keim . . .
– den Keim eines ganzen Lügenimperiums, sagt der Vater, in sich tragen, jawohl, das sage ich.

– Sagten Sie nicht, es ist niemand da?
– Mann, Patschke, kommen Sie zu sich. Es ist nur das Kind, lacht der Vater, wer soll denn da sein? Das ist A.

Dann schaut er den Mann zweifelnd an, ist er einer
von diesen Perversen?
Patschke beugte sich über das Becken. Dann schloß
er die Tür. A sah im Ausguß die Träne von Patschke
und weinte.

22 Die Männer spuken. Ein Bein verschwindet

Die Sonne brüllt. Das Pech läuft die Straße runter.
Die Füße stapfen es in die Häuser.
Nachts seh ich durchs Fenster die nackten Füße des jungen Bäckers, bis zur Eifersucht der jungen Bäckerin, den Ofen öffnen.
Da sitz ich wie zum Witz im Mittelalter und telefoniere.
– Ach das Burgund, sagt die Mutter, dort sind wir vor der Hochzeitsreise geflohen. Erinnerst du dich?
– Ich, frage ich.
– Du warst sehr unterwegs, mein Liebes, wenn du nicht sogar . . .
– Nee nee, sage ich, laß man stecken.
Hetze von Pippin zu Otto zu Ohnefurcht zu Alexander dem Großen und erklär mir die Angst, wenn es scheppert, schmatzt und knackt, mit Freud und Jung im unteren Stock und dem Holz, das morsch ist.
Dann Proust und frage, wer ich wäre, wenn dieser Spuk aus mir verschwände, die Männer endlich und ich in mir zuhause, nur die Seele ist Ausland, sagt Freud, da ist er wieder, wo bin ich ein Leib.

– Wenn ich ihn morde, in mir, wird er mich noch zeugen wollen, frag ich mich.
– Das hat er getan, sag ich mir, das ist vorbei, du

hast einen Vater gehabt, die Zeugung liegt hinter euch,
was fangt ihr an damit.
Wenn es um das Verschwinden geht, zieht der eine den
anderen nach. Es muß mit allem gerechnet sein.
Das Haus sagt mir den Kampf an. Es hat nicht übel
Lust mich auszuspucken, doch läßt es mich, hübsch
väterlich, nicht ohne Erfahrung raus.
Im unteren Stock erzählt Strindberg im roten Zimmer
von der Ehe weiter.

– Wer bin ich?
Er kneift mein Fleisch. Ich schreie.
– Das ist sonnenklar, wer das ist, sagt der Mann,
das bist du, die schreit.
– Ist der Schmerz persönlich?

Ich weiß nicht, was mich mit mir verbindet, als der
Mann. Ich weiß nicht, was mich mit dem Mann
verbindet, so wie die Stewardeß, die im Flugzeug dem
Unverschämtesten ihr Bein ließ.
Der wußte nach einer Weile damit nicht wohin.
Es trudelt durchs All. Da bückt sich der Astronaut
und packt es ein. Auf die Tüte schreibt er: Bein.

23 Die Mutter näht Weihnachtsgeschenke

Wir lauern hinter dem Gummibaum. Die Augen pirschen sich ran, den blauen Läufer, die Beine hoch, in deine Augen, in die Bilder im Fernsehen darin.
Du stichst ihm zu Weihnachten schwarze Satinränder an Arme und Beine der Schlafanzüge, mit Rot in der Nadel. Das neue Haus hat alles Geld geschluckt.
Der Atem schnellt die Hände weg. Die Nadel sticht zwischen die Lippen. Das Rot rennt über das Kinn auf die Brust. Die rast. Die Füße trommeln den Läufer:
– Ja.
In den Augen viel Weiß. Du weinst, während zwei sich, in deinen Augen küssen, den Stoff naß, in deinem Schoß.

24 Die Hochzeitsreise

Als der Vater die Ehe mit dem i Punkt krönen wollte,
wählte er das Burgund.
– Komm, sagt Heinz, bevor das Kind kommt, mit mir.
Sie stellte sich das Burgund mit den dicken Mauern und
Türmen, Burgen, Festungen und Kirchen, auch dem
Wein, der anregt, passend vor.
Sie hatte gehört, der Mann erlischt schnell und gegen
den Willen, wenn er das Weib nicht mehr jagen, es zahm
ergeben schnäbeln muß.
Sie gab sich widerspenstig. Sobald sie in einem Haus, nackt
von Angesicht zu Angesicht die Nacht beginnen wollten,
spielte sie Haus und Bettflucht, sie zogen in der Nacht
noch weiter und schliefen auch auf dem Feld nicht.

Dagegen wäre eine Hochzeitsreise mit allen Schikanen
und gegenseitigen Müdigkeiten Zuckerschlecken gewesen.
Heinz und Gertrud schmissen bittre Zähne ins Burgund,
da klappern sie noch heute.
Fragt Heinz:
– Wollen wir nicht ins Burgund, Gertrudchen, die
Hochzeitsreise antreten?
Sagt Gertrud:
– Was nicht anfängt, endet nicht, die Liebe gehört uns,
Heinz.

25 Der Vater geht zur Reitzenstein

– Die kriegen kaum das Leben und greifen schon
wie Krebsgeschwüre um sich, uns durch unheimliche
Gänge an, sagt der Vater.
Die Mutter kniet zwischen den Beinen von ihm.
Die Haare auf den nackten Fliesen mit Zwirn im Maul
und der Nadel.

Die Erotik schnattert herrenlos, mit gespreiztem
Schnabel gegen die abgewendete Brust des Vaters
und will lieber Böses wollen, als daß gar nichts mehr
aus seiner Mitte ihr zufließt.
– Ich hätte lieber den Schneider genommen, sagt der
Vater.
Die Mutter betet an, was sie verbrennt, da liegt die
Wüste und wartet auf Regen, da legt er sie um und sich
in ihr ab, doch es ging nicht durchs Herz, das wird ihm
gleich bei Frau von Reitzenstein unter dem Lüster
gebrochen.
– Ich ordnete dir den Tisch, sagt die Mutter, du wendest
ihn um. Du stichst mich von hinten. Ich sehe deine
Augen nicht. Wo bist du?
– Ich verlasse den Tisch, sagt der Vater.

– Wenn das bloß man gut geht, Patschke hängt,
auf Wunsch der Hausfrau das Bidet, ins fliederfarbene
Elternbad mit Durchblick auf die nassen Kinder.
– Das sind vielleicht Methoden, sagt Patschke
zu seiner Frau.
– Du könntest dir auch mal was einfallen lassen,
sagt die.

Der Hausherr knöpft die Hose zu. Die Hausfrau sticht
sie um. Die Hose soll locker auf die Schuhe fallen,
die du jeden Tag bespuckst und wienerst.
– Ich geh Gertrud, Heinz streift die vertraute Schulter
mit dem neuen Anzug, der dich so männlich macht,
Heinz, sagt die Mutter, so, daß er den Schuh, der hastig
gebunden vom Fuß auf die Straße und Gertrud hinter
ihm dumpf auf die Fliesen fiel, alle dort liegen ließ,
schnell unter den Lüster.

– Laß auch den anderen fahren, mein Fisch, sagt
Frau von Reitzenstein, bring nicht die Straße ins Bett,
du Wilder, wir werden dich denen ganz hübsch, in
frischem Mannesmut, in Saft und Kraft, so richtig
wieder auferweckt übergeben, mein Rübchen.

26 Im Büro

– Ich habe die Schuhe von Fisch gesehen, sagt der andere Neue, der Akademiker, zum Chef der Abteilung für außergewöhnliche Unfallsachen und hält die Hand vor das geblendete Auge.
– Na und?
– Ich hab mich darin gesehen.
– Na und, Mann?
Der Chef wirft den Blick nach unten:
– Ein liebes Weib, das ist was Feines, Schuster.

Das spricht sich rum. Der Vater sonnt sich im Neid der Kollegen. Er pafft die Füße auf dem Tisch wie zuhause ohne Abitur den Stumpen an. Er weiß nichts von der Anschmiegsamkeit der Dinge im Haus, an das Herzstück, die Mutter, die immer dem Vater voran, auch wenn er hinter ihr her, zur Reitzenstein geht, auf seinen Schuhen ihm, um Schrittlänge voraus, ins buhlerische Bett rein kriecht.

27 Der Vater nimmt die Hand

Oft hält die Angst den Körper des Vaters zurück.
Dann stopft er alle Löcher im Familienglück mit seiner Gegenwart:
– Wenn ihr zu Tisch sitzt, beachtet wohl, wen ihr vor euch habt.
Dieses war der erste Satz. Der zweite trifft meine Augen:
– Das Auge, das den Vater spottet, hacken die Raben im Tal, das fressen die jungen Adler, das preß ich euch in den falschen Hasen, sagt er.
Ich sag, daß seine Augen seltsam sehn und sein Mund verkehrte Dinge sagt.
– Red nur, sagt er gütig, solang der Gulasch schmeckt.
Da der Vater jeden Biß besah, den ich in den Mund stieß, spucke ich ihn nach Tisch wieder aus.
Wie es in mir aussieht, soll meine Sache sein.

– Ach Heinz, sagt Gertrud nach Tisch, wie hat sie früher den Brei verschlungen. Nur weil ich sagte, Gott ist überall, nur als sie mich fragte, wo er sei, sie hat auf den Bauch gezeigt, ob er auch darin hockt.
– A ist mir nicht verständlich, sagt der Vater.
– Und Be und Ce und De, fragt die Mutter.
– Und wer versteht mich, fragt der Vater.

– Verstehen heißt einer Orientierungserwartung
entsprechen, sagt das Funkkolleg.
Die Mutter stellt das Radio aus.
– Sie hat den Brei endlos runter gestürzt, bis in die Augen
ist der gestiegen, sagt die Mutter.
– Sie kennt nicht Maß noch Zahl, das sag ich doch.
– Da hat er keinen Platz in mir und erstickt, sagte A, da
hab ichs sagen müssen, sagt die Mutter.
– Na was?
– Daß Gott auch im Breichen sitzt. Sie hat es ausgespuckt.
Da hat es angefangen.
– Du spannst das Kind zwischen Himmel und Hölle.
Die wird mir sterben, sagt der Vater, den es ohne
Tochter nicht gibt.

– Wie meinen Augapfel, hüte ich sie, sagt er leise,
laut hört die Mutter das:
– Bring alle Kinder her. Im Schlafanzug, mit Zahnpasta,
egal. Ich werd jetzt exemplarisch.
Wir treten an.
– Ihr seid eigenwillig, gehorcht ihrer Stimme nicht
und seid Schlemmer. Einige wollen sich frühzeitig ein
Ende setzen. Ich bin sehr müde. Ich züchtige euch
nicht gern heute abend. Ich hatte genug zu tun im Büro.
– Niemand von euch leidet gleich so wie der Vater,
leiert die Mutter runter.
Dem Vater wird das Leben lästig. Er wirft der Mutter
den Stock zu. Winkelt uns übers Knie und schlägt
mit der Hand. Wir kriegen nicht genug.

– Schreit, sagt er, der uns keinen Laut entlocken kann,
läßt uns unbefriedigt in die Betten ziehen.
– Deine unnötige Grausamkeit, sagt sie.
– Dein unnatürlicher Sanftmut, sagt er.

28 Wir sehen die Reitzenstein

Wer die roten Wurzeln, wer die Eimer unter den Tannen,
wer den heimlich zärtlichen Vater nie gesehen hat,
dem bleiben wir in zäher Kraft ganz unbegreiflich, die
auf dem blauen Läufer, an den Einbauschränken vorbei,
im von der Mutter heiß ersehnten Fliederlicht, das zum
Badezimmer raus die Treppe runter, vornehm in die
Diele flutet, herrlich wundgeschlagen, in der schmalen
Flurflucht liegen, Kopf an Fuß, der vorderste Kopf sieht
um die Ecke die Hand des Vaters, die streicht der
stichelnden Mutter über das Haar.
– Sie macht ihn für die Reitzenstein fein, flüster ich,
der Kopf der Schlange, nach hinten.
Der Schwanz, das jüngste Gottgeschenk, freut sich
schon. De wird am Sonntag für die Reitzenstein, in den
Park mit dem Vater Fasanenfleisch essen, die jüngste
Frucht vorführen, was alles Ehefleisch zustande bringt,
zurechtgeputzt. Am Montag bin ich dran.

In der Dreizimmerwohnung, im Stadtsitz der Reitzenstein,
setz ich mich in den Flur vor die Rosentapete und
schmolle mit dem Mund:
– Ich mag keinen armen Adel.
Es klatscht. Ich preß die Lippen fest. Im Mund
Nasenblut. Die Augäpfel finden nicht zurück.

Die Reitzenstein packt die Birne aus der Pappe und stöckelt durch meine Söckchen, die Zehen kaputt.
– Aber Füße brauch ich doch, sag ich.
– Dummerchen, sagt sie.
Das Blut versaut den Drachenteppich. Der Vater steht auf dem Bett und schraubt die Birne in die Lüsterfassung. Die Hose will ihm auf die Knie fallen beim Recken. Er hält sie fest. Ich hau den Hinterkopf in die Tapete.
Die Reitzenstein sieht vom Bett aus das Blut und lächelt in den Flur. Ich auch. Sie greift an den Hals und knüpft auf. Sie läßt hellgrüne Seide, bunte Vögel auf mich runter. Da scheckt die Vorlust den Hals. Das sah ich schon in den 99 Stellungen des Vaters. Die Seide rennt zwischen die Beine. Ich schlag die Knie zu.
– Kommst du, fragt der Vater, auf ein kurzes Schläfchen?
– Du meinst wohl Späßchen, sag ich.
– Na na, A, sagt die Reitzenstein, laß mal sehen.
Sie steckt den Finger zwischen die Knie und rüttelt. Da kommt ein Körpergefühl. Ich leg das Tuch um den Hals. Es duftet nach der Geliebten.
– Na gut, sage ich, legt mir eine Platte auf.
– Was sind das für Sitten, fragt der Vater.
– Habt ihr keinen Plattenspieler, fragt die Reitzenstein und zieht sich schon mal was aus.
– Doch, doch ich kann die roten Halbschalen kaum fassen, was da alles drin steckt.
– Habt ihr keine Platten?
– Eine. Mach keinen Heckmeck, ich heirat dich vom Fleck weg und nimm dich mit nach Haus. Immer wieder.

Die Reitzenstein wiehert.
– Mir reichts, Kinder hab ich zuhause, komm doch, Liebling.
Liebling hat der gesagt und wie, schon bin ich allein im Flur mit dem Klavier, das mischt sich im Ohr mit dem was aus dem Bett raus kommt.

– Ab und zu holt sie den Vater ins Haus, sagt die Mutter, wegen seiner praktischen Veranlagung, denk dir nichts aus, Kind.
– Nein.

29 Später nach der Liebe

Ich vergaß die Seide nach der Liebe beim Liebsten.
– Was ist das für ein Tuch?
– Willst du es?
Die Mutter des Liebsten legt meinen Duft um den Hals.
Sie putzt den Studentendreck aus der Bude.
– Sind diese Hosen nicht durchgesessen und die Knie, Liebling?
Der Sohn geht in den frisch geflickten Hosen nicht mich ficken. Wo denkst du hin, er ist weg.

Ich möchte meinen Leib nicht. Ich beschloß, keiner ähnlich zu sein.
Soll das Gesicht nach dem Schuh sich bilden, auf den es voll Scham blickt. Lieber sitzt mir der Schuh auf dem Hals, als eine Backe haben, die rot werden kann.
Wo ein Gesicht ist, ist Verrat.
Keiner soll erzählen, er habe mein Gesicht geküßt, es auf dem Schuh des Liebsten mit meiner Spucke und ehelichem Wiener, ihm voran, zu einer Flamme ins Bett schreiten sehen, oder sei drauf getreten. Ich will nicht da gewesen sein. Du kannst mir nichts erzählen von mir. Ich schmeiß die Augen raus, die roten, die blauen, alle sind dem Vater abgemietet.

30 Die eigene Faust

Unter der Frau in schwarzen Kleidern, mit der Rose in der Hand vor dem weißen Berg, eines Tages, die alles betrachtet zum Abschied, steht: sie war nicht zu beruhigen, mit Bleistift.

Hinter dem Dreieck, weiß wie ein Frieden, ein Haus, wie rot, wie Liebe, darin Leute mit anderen Geschichten, vor den Bäumen, grau und wie viele wollten sich im Wald ein Ende setzen, einen kennt sie, dazwischen stößt die Faust aus der Erde, da fragt sie sich, was sie getan haben könnte, was sie begraben hätte, was sie mit Erde erstickte, was sie vergessen will, schlägt mit dem hübschen Muster auf der Haut den Schatten auf die Leute, die sie lieben wollte, sieht sie nicht, die deine Augen hat sieht sich im Dunklen, womit denn im Vater, dem sie schwer geworden, der stöhnt, wie soll sie den verlassen, der nicht zerrissen bluten und sie nicht darin untertauchen will.

Wie soll ich weg und da sein. Wie soll ich drin sein und draußen. Wie soll ich leben und sterben, die Tochter und der Vater, in dem ich drin bin, der um mich, gewickelt, sich auch nicht wieder findet, wer fischt den raus, mit Angel, mit Rufen, mit mir und in mir, finde ich wieder den Vater verschluckt.

Wie tief kommt einer drinnen vor und dringt da
rein und steht nur außen rum, der hat sich das
auch nicht so gedacht, vor der Haut, die siehst
du kaum, weit entfernt von dir im Fleisch.
Wie soll ich durch deine Knochen, durch die Speiseröhre.
Wie soll ich durch dein Fleisch ans Licht der Welt da
nicht geblendet sein, die Füße im Blut, die Unschuld ist
hin, wie soll einer ohne den anderen sein.

Die Berge sind zerschnitten. Die Bären schreien.
Der Vater löst sich aus dem Hintergrund. Wir lachen.
Diese Jahre hab ich nur deine Hände gesucht, in allen
Händen, erinnere ich.
– Nur weil der Vater nicht zur Tochter darf, sagt der.

In Liebe nicht, da verirren wir uns, wir streunen, wir
schlagen uns, wir beißen, wir schreien Worte ins Gesicht,
wir fühlen uns vernichtet, wir wissen nicht wohin in
dieser Verbundenheit fassen wir uns elektrisch bei den
Händen, wie Kinder, Vater und Kind. Wie Mann und
Frau. Wie Fische.

Wir wollen den Atem verlieren, uns endlich fassen.
Wir rennen in den Wald. Wir verschwinden im
Hintergrund. Vorne schreien die Bären nach Liebe.
Die Berge bluten auch nicht zerschnitten. Wir liegen
unter dem Himmel. Wer deckt uns zu, weiß. Wir rupfen
uns die Tannennadeln aus der Haut. Die lecken wir
uns warm. Wir nehmen uns in den Mund. Wir beruhigen
uns. Sätze radieren wir weg.

31 Der Bruder in Zornheim

– Du Dicke.
Torte gefährdet den Ehebestand und eine Eichelkranzfurche soll sich nur ja nicht ungereinigt der Gattin nähern, wenn das Gebäude der ehelichen Liebe nicht versanden will.
– Willst du nicht?
– Willst du mich nicht erst mal reizen?
Da verhindern die Venen der Mutter den Rückfluß des Blutes, die Lippen blähen sich zu Pölsterchen und wollen den Gatten fassen, doch der zückt den Säbel schon durch ein anderes Weib.

– Was bedrückt dich, Fisch, Frau von Reitzenstein pustet die frisch lackierten Finger, während wir in der Zwischenstation, im Bett die Ohren hochklappen: kommt er schon? Und jaulen.
– Dieser Ehe ist kein Höhenflug beschieden, sagt Gertrud zu den Eltern bei einem Gläschen Boxwein.
– Ich will von deinem Unglück nichts ins Ohr, sagt die Oma.
– Prost, sagt der Opa, Hauptsache das Kind ist gesund.

Frau von Reitzenstein tritt Kollege Fisch in die Waden:
– Heinz, was ist mit dem Haus?
– Es wird nicht fertig im Mai. Dieser Bummelbruder,

der Gill und das neue Schuljahr beginnt, wenn ich das den Kindern antu, da kennt sie nichts und jetzt der Absturz in Brunsbüttel, die gelbe Akte, bitte.
Die Reitzenstein hat diesen Bruder mit dem prachtvollen Körper in Zornheim und es ist spät.
– Du packst sie uns aufs Land. Zu Richard und mir, morgens ins Büro, mittags stoßen wir wieder dazu und alle schwimmen. Komm.

32 Bällchen, der Chef

– Willst du aufsteigen, Heinz, fragte Bällchen,
der Chef und Freund in Wuppertal traurig, Hamburg,
München oder Mainz. Für einen Mann wie dich ohne
schulische Laufbahn kommt das nicht wieder.
Die lieben endlosen telefonischen Einfühlsamkeiten
mit Gertrud werden auch nicht wieder kommen.
Um die Sehnsucht nach Glück in der Ehe zu mindern,
hatten sie Umgang miteinander. Indem Bällchen in eiliger
Flucht die Waldung räumte, auf der sie so friedlich
geäst, brach das Wasser stromweise aus seinen Augen,
doch die Furcht, auch dies hier würde wie die Ehe
werden und vergehen, entschloß sich zur Übergabe.
– Wir werden uns nicht aus den Augen verlieren,
sagt Heinz, verlier nicht gleich Wasser.
– Wir sind keine Bestien, sagt Bällchen so müde,
voll Argwohn, daß Gertrud ihn an den Freund und
alles verrate.
– Setz deiner Flucht ein Ziel, sagt Bällchen.
– Das war das Wort zuviel, mein Lieber, es reicht,
glaubst du, wen du vor dir hast, ich seh nicht, was in
meinem Rücken geschieht, du poetische Flasche?
Der Vater reißt den Freund vom Sofa.
– Schlag derber, du, sagt Bällchen, der Sensible.

33 Das Richtfest

– Er ist wie hineinverkrampft in ein Erlebnis, sagte Gertrud zu Heinz, als Bällchen beim Richtfest der Fischs, vor allen Leuten in Möschenborn, nicht von der Frage lassen konnte, ob seine Frau ihn wirklich liebe oder nur als Krankenschwester pflegt.
Bällchen sieht seine Frau, greift sie, will sich abwenden und bringt sich nicht herum. Eingekeilt zwischen den Wünschen, sie möge ihn lieben und lieber nicht, lenkt ihn die Müdigkeit von der frohen Wirklichkeit, in den neuen Mauern, Möschenborn 17.
Frau Bällchen befand sich in der leicht erregbaren Stimmung kurz vor der Periode. Sie hoffte inbrünstig, es möge nicht vom Riß zwischen Zärtlichkeit und Sexualität die Rede sein, nicht die Frage aufkommen, ob die Liebe, die für Millionen von Menschen in Hunderttausenden von Jahren nicht lebensnotwendig war, anzustreben sei.
– Ach, auch Frau Marga, die Frau des ersten Architekten wünscht hier keine Frage, an der Intensität der Liebe, mein Lieber, können wir die Stärke des Gefühls persönlicher Unzulänglichkeit ermessen. Da sie mir äußerst vollkommen vorkommen…

– Das war eine andere Zeit, als ich sie küßte, sagt er.
– Du warst ein anderer Mensch, sagt sie.
– Hören Sie, sagt Herr Marga, hören Sie nicht hin,
wir schätzen Sie als einen Mann der Kunst und der,
der großen Ehrgeiz für sich selber entwickelt, kann kein
leidenschaftlicher Liebhaber sein. Der kann es zum
Laster bringen. Sie spielen doch noch Klavier?
– Ich hörte auch, Sie telefonieren, sagt Frau Marga.
Herr Marga legt ihr die Hand aufs Knie. Er ist in seinem
Leben nicht weit gekommen, doch das Gebäude der
ehelichen Liebe, das steht.
– Ein wenig Liebe reicht, liebe Freunde. Zuviel Liebe
geht zu weit, sagt Heinz.
Die Ehe ist bis zur Tyrannei erforscht.
– Es ist hell hier, Eva, Gertrud reicht Frau Bällchen
die Sonnenbrille vor die Augen.
Bällchen fürchtet schon das Zittern und Beben im Haus
auf ihn zu, wie sie die Möbel dran nimmt, das Stuhlbein,
den Rasierer und er verflucht nicht kann und nicht will.

– Ein Mädchen muß gesund sein, um die Ehe zu
ertragen, dachte Frau Marga hier, die schon einiges
davon hinter sich hatte, mit einem gütigen Mann, der
ihr nicht nach dem Kopf tritt und sie schnappt nicht
nach der Ferse.
So trieb sich in allen alles weiter bis zu den Kindern, auf
die es sich, bis zum Abendbrot hemmungslos einteufeln ließ:
A ist träge, Be frech, Ce bockig, De, das Gottgeschenk
noch nicht da, der Bällchensohn verschlagen, nur die
Kinder von Andersch…

– denen könnt ihr kein Wasser reichen, sagt Vater Heinz
zu uns, die haben ein Benehmen, eine Kleidung,
einen Stil in den Worten, sportlich, so richtig ansehnlich,
die schauen nicht zerquält unelegant, tolpatschig und
zierdelos, gänzlich ungeübt in die Welt. Aus denen
wird der ganze Stolz des Vaters.

34 Vater Heinz flieht

Der Vater ließ ab von Bällchen. Dem floß Blut aus der Nase. Der unersättliche Groll vermochte in Heinz keine noch so winzig fortglimmende Liebe für die Gattin zu entfachen. Das war der wirkliche Schreck.
– Steh auf, sagt Heinz, ich würde sie sofort sinnlos töten, wenn sie vor mir stünde. Wie stünde ich sonst vor mir? Lieber umschling ich den Baumstamm, wenn ich Zuflucht und Stütze suche.
Wieviele Schwerter hab ich nicht in immer erneuter Vertreibung in wieviele Scheiden gesteckt und nie ist es warm. Auch du pickelst mein Herz nicht auf, wenn du es mit meiner Dame treibst.
– Es ist der Wagen nicht, der bricht, ach Heinrich, es sind die Bande um dein Herz, das da liegt in großem Schmerz, unermüdlich schlagen selbst die Märchen zu.

Bällchen verzeiht dem Vater. Er hat nichts von diesem Abgrund geahnt. Daß ihn, wenn er mit Spitze und Hacke und Schaufel gegen die Erde loszog und den Grundstein legte und wieder loszog und wieder den Grundstein legte, als er sich das halbe Bein absägte, schon Gift im Blut, ein Weib noch hätte beruhigen können.

35 De wird geboren

Als Heinz halbtot zwei Stockwerke über Gertrud lag,
die mit gekrümmten Zehen auf das Gottgeschenk wartet
und auf den Mann, der ihr beistehen soll, hätte er sie
wie ein Wunder gebraucht.
– Zu schade, sagte Schwester Regenhild, als Mutter
und Kind gerettet waren, er hätte sogar über Gott mit
sich reden lassen, im heillosen Zustand, er hat so
ins Offene geblinzt.
Nach 10 Tagen rollt Vater Heinz noch ganz benommen
im Pyjama und Puschen mit Pfleger Alfred und dem
Beutel für Urin hinten dran zum Wochenbett. Durch die
Nelken besieht er Mutter und Kind, für die er fast
Bein und Leben ließ.
– Er die Blutvergiftung oben, zeigt Alfred zu Regenhild
mit nach oben verdrehten Augen.
– Sie das Blut im Wochenbett, hier unten, zeigt Regenhild
und kullert mit den Augen von oben nach unten, denn
oben ist Gott und der Vater, unten liegt die Mutter
mit dem Kind, darunter brennt die Hölle, die Augen
sacken, schnell reißt sie die hoch, davon wackeln die
Ohren, die Gleichgewichtsorgane, die Orientierung
verliert. Regenhild kippt zum Teufel.
– Regenhild, Liebling, flüstert Alfred, bitte bleib bei uns.
– Ich weiß nicht, Alfred, wo sind meine Füße, hat Gott

die in Krötenköpfe gesteckt? Die sieden, die dampfen unter den Rock, da tropft der Höllensud, ich wanke im fremden Maul, ich schwindle, Alfred, die zermalmen, die quetschen mich unter den Gaumen, die stechen mit den Zähnen Löcher rein, Alfred, ich laufe aus, die Zunge schleckt das weg, aus mir...
– Hilfe, meine Regenhild, schreit Alfred, so hat er das nicht gemeint, dein Gott.

– Gott, schreit Regenhild, warum läßt du mich nicht oben bei dir sein, warum muß ich hier unten Müttern zu Kindern verhelfen, Wunden tupfen, warum ziehst du meine Augen in den Höllenschlund, nur weil ich Alfred eine Richtung, ein Stockwerk, ein Stück von deiner Gegend zeige, wo bist du, wär ich ein Aufzug, Gott, du ließest mich in Ruh. Du würdest mich stehen lassen, in mir küssen sich zwei Süße, manchmal auch andere und anderes, dann bin ich repariert wieder zu gebrauchen von oben nach unten und umgekehrt trag ich Lasten, warum kippst du mich aus?

Alfred und Regenhild schwanken ins Schwesternzimmer.
– Mach die Augen zu.
– Du auch.
Sie ziehen die Spritzen auf. Sie fingern sich die Ärsche nach der Stelle ab, die sie nicht sehen dürfen, ohne im Verlangen gänzlich untragbar für das Krankenhaus ineinander vertieft zu sein, heute, wo Fischs sich wieder finden, über das Kind gebeugt, steht Gott nach Versuchung der Sinn.

– Ich will dich nicht lähmen, Liebling, sagt Alfred, du kennst ja die Regionen, bitte verzeih das Tasten.
– Alfred, sagt Regenhild.
Sie stechen brav blind die Beruhigung rein. Sie ziehen die Hosen hoch und sich, einer hinter dem anderen, mit den Fingern in den Rücken vorwärts stechend, rutschen sie ab in den Dienst, die paar Minuten noch.

– Da sind sie noch mal beide durchgekommen, sagt das Nebenbett, meine lieben Fischs.
– Selbst im Tod trennen uns die Kinder. Die Liebe zeugt uns Feind für Feind. Wollen wir aufhören, Gertrud?
– Jetzt, fragt die Mutter, nach dieser Anstrengung?
– Jetzt, sagt der Vater, wir beide, du und ich, nur wir allein, kommst du mit?
– Aufhören, schreit Pfleger Alfred, sie sind beide noch nicht hergestellt, ich komme.
– Vor Gott stehen sie nicht tip top, meine Lieben, Schwester Regenhild schlägt schnell das Kreuz, hier wird sich nicht aus dem Staub gemacht. Da liegt noch alles unerledigt. Wozu haben Alfred und ich uns gerade aus dem Glück gestohlen für euch.

– Der arme Spatz, den sie mühsam rausgepreßt haben, seid ihr zwei toll, fragt das Nebenbett, soll ich mir auch gleich den Leib aufschlitzen?
– Aufhören, gleich kommt mein Feierabend.
– Ich bin immer in Gott, sagt Regenhild.
Vater Heinz sinkt zurück in den Rollstuhl und prasselt in die Tüte.

– Kanariengelb, ruft Regenhild, die Reize häufen sich entzückend.
– Tief durchatmen, Regenhild, sagt Alfred, immer weiter atmen, das Leben fordert seinen Preis. Weiter, weiter…
– Mir ist so heiß, sagt die Schwester, sind das die Wechseljahre?
– Das ist das Glück, sagt der Pfleger, du fällst mir doch in die Arme.

– Die Kreissäge hab ich nie gemocht, sagt die Mutter, gibst du mir keinen Kuß?
– Ein fein getäfeltes Wohnzimmer wirst du schon mögen.
– Lieber in der Hütte glücklich sein, als im Palast verzweifelte Zähne verlieren. Ich hasse Rohbauten. Ich hasse Küchenzeilen. Ich hasse Wochenenden. Du arbeitest, schwitzt, bist reizbar, leistest Unerhörtes und wir sind Luft, sagt Gertrud, Luft.
Das stieß ihn in die Brustbeklemmung, raus in den Kampf, wo was zu schaffen war und in die Reitzenstein. Wollte Gertrud den starken Mann? Wollte sie Haus, Klavier, Wendeltreppe, Urlaubsaufenthalt und den Brockhaus von A bis Z?

36 Der Vater sitzt in der Hölle

Als der Vater in die Loge trat, war er des Teufels.
Gertrud wollte seine Seele retten. Sie wollte keinen
Körper ohne Geist und den Freimaurer nicht,
wenn er kein anderer würde.
Gertrud hat nie den Mund gehalten. Ihr fehlte das linke
Händchen der Mami, das dem Spiegelei so behutsam die
Haut über den Berg schob, wußte und schwieg.

– Wir haben nur telefoniert, sagt Bällchen.
– Ich weiß, sagt Heinz, mehr hab ich von Gertrud nicht
erwartet.
– Du wirst gehen?
– Hier bin ich am Ende?
Bällchen nickt, mehr kann er nicht tun für den
nichtakademischen Freund, in der kleinen Stadt, ohne
Aufstiegsmöglichkeit.
– Das Umpflanzen muß mit Behutsamkeit geschehen.
Wo nimmst du die her? Du hast in das Haus viel
Liebe gesteckt, Heinz, den Dachausbau, die doppelten
Wände, der Bunker, der Fluchtweg, gegen den Willen
der Frau, unter dem Haus weg. Zum Teufel, wozu
hast du Bein und Leben riskiert?
Heinz ruft im Höhenrausch:
– Ich steige.

– München und Hamburg, lieber nicht, sagt Gertrud, Mainz, so eine mittlere Stadt, so ein Bischofssitz, so eine katholische Gemütlichkeit könnte mir gefallen.
Der Möschenborn mit der deppen Hannelore vom Fall aufs Heu, dem doofen Franki und dem Lustmolch Jörg Schillinsky mit dem Boxer, mit dem Förster, der die eigene Frau im Wald für die kranke Kuh hielt und schoß, mit der neuen Frau im selben Wald wieder welche zeugte, von Roswitha Sattisong mal ganz zu schweigen, mit Frau Becker, die sich vor der Axt des eigenen Mannes in unser Klo schloß und dort die Tage verbrachte, weil niemand eine Nachbarin dem puren Tod ausliefern kann, sagte Heinz mit Herz zur kalten Gertrud, die was Besseres ist, der Möschenborn hätte unsere höheren Interessen nicht unterstützt.
Wir verabschieden uns von Jörg, der sich mit dem langen Messer von den Mädchen Küsse schnitt, von Mechthild mit den Trauerrändern und dem nassen Stuhl, wenn sie aufsteht, vom frischen Urin, von der schwarzen Gabi, von dem schwarzen Beinhaar zu den Hot Pants raus, von der runden Heidemarie Tesche mit Sommersprossen, mit Elvis Presley oder Roy Black über dem Bett.
Ich hatte überhaupt nichts kapiert.
Und keinen Liebling und war niemands Liebling und trat, den Kehlkopf voran, blöde auf das, was ich hätte werden können.
Sie verschlossen die Gegend und spuckten uns aus wie etwas, das schon immer von schlechtem Geschmack war.

37 Doch

– Wie heißt du, fragt die Metzgerin mit der rosa
Wurst zwischen den Fingern.
– Liebling, sage ich.
– So kriegst du keine Wurst, sagt die, sag schon.
– Opas Liebling, sag ich und krieg die Wurst nicht
davon.
Martin sagt, ich wäre netter anzusehen, wenn die
Männer netter gewesen wären zu dir.
– Ein bißchen Liebe hätte dir gestanden, sagt der.
– Was siehst du, wenn du mich siehst, frage ich.
– Omas Warze, mütterlicherseits, sagt der, die dir über
der Lippe raus kommt bei den norddeutschen Frauen.
– Das kommt von Theresa, sag ich, seit ich die lese,
wachs ich in ihr Bild.
Ich stech mit der Stecknadel Schicht um Schicht weg,
fetz das Fleisch in den Ausguß und grabe weiter,
jede Nacht.
– Was haben Sie da rausgeholt, fragt der Hausarzt,
wie sehen Sie überhaupt aus?
Ich erzähle ihm alles, wie es aussah, wie es wegging,
wie ich weiterpickte, es rausnahm, wie das aussah und
nicht rauswollte, wie ich es von unten holte, wie ich
die Farbe wirklich nicht erkennen konnte, wie es
ja immer rot war und flüssig nicht zu stillen. Wenn

er wenigstens die Farbe wüßte, die Konsistenz, die
Größe, wie oft und wieviele Stücke, meine Anstrengung,
meine Erinnerung, steht mir im Gesicht, das kann
er nicht deuten.
– Alles das gibt es nicht über dem Mund, sagt er,
unter den Augen ja, nicht neben der Nasenfurche. Das
wäre ein Novum. Sie müssen schon deutlicher werden.
Er schließt die Wunde nicht, die bösartig sein kann.
Er will auch die Ränder nicht elektrisch glätten.
– Die Zacken haben sie sich selbst eingebrockt, mein
Fräulein, sagt er, sowas wie ich kommt so nicht weg,
außer einer hat es schon vorher genommen.
– Frau, sage ich.
– Um Gottes willen, sagt der, kennen sie die
Verpflichtung nicht für das, was der Gatte ewig ansehen
muß. Ich empfehle schwache Beleuchtung.
– Und Narbenbehandlung, frag ich schwarz vor den
eigenen Augen.
Der Hautarzt will das nicht verantworten müssen,
vielleicht will das raus, was ich nicht beschreiben
kann.

Die Wirklichkeit sieht mich nicht an, wenn ich
Vorstöße unternehme, wenn ich es wissen will.
– Ich habe die Nadel in die Flamme gehalten, sag ich,
vorschriftsmäßig, ich habe keine Absicht gegen mich.
Er hat schon Schlimmeres gesehen, wenn ich mich
in Grund und Boden zerstöre, bitte schön, nicht mit ihm,
wenn ich weiter wühle nach mir.

Wirkliche Augen sehen den Liebling in meinem Gesicht, die sind noch nicht geboren, die sähen mich in den Augen, im Gesicht im Vater, schaukeln, naß, rund und geborgen, geboren, schlecht.

38 Da bin ich geiles Fleisch

In Zornheim mochten wir den alten Collie und den prächtigen Körper von Richard nicht. Wir hätten Richard leicht lieben können, täglich verschlucken, wie er uns, hinter den wasserbespritzten Scheiben, wir sitzen innen am Tisch und er draußen, vom Rand auf die Teller wippt und nicht springt.
– Grüßt ihn höflich, sagt die Mutter, dieses Appartement hier, der Swimmingpool direkt vor der Nase beim Essen, die blauen Samtvorhänge, die Scheiben bis zum Boden, das alles würde...
Wir wollen nichts wissen. Mittags hat ihr Bikini das Gelb der Hose, die ich mitsamt meinen Beinen darin, so verfluchte, als der Vater mir nachdenklich hinterher, mich zum erstenmal sah.
– A, sagt er, kuck mal, Gertrud, die Hosen, du solltest auch mal von dem dämlich beigen Geschmack runter, dem öden.

Da bin ich geiles Fleisch ins Leben des Vaters gerufen und renn zu C & A. Da steck ich mich in den hellblauen Rippenpullover und wirke bombastisch obenrum.
Um fünf kommt Elke mit dem Vater nach Hause.
– Gertrud, ruft der Vater, ruf mal A, ich hab die Elke an der Ecke getroffen. Sie wollen zur Kirmes, was sagst du?
Die Mutter sagt nichts. Der Vater findet sie heulend im Bett, mal wieder.

Die Mutter hat den Vater wie nie mit einem Kind reden hören. Da ist sie verrückt vor den Spiegel gesprungen. Sie zieht sich die Lippen nach und kommt zur Besinnung: Das kann nur ein fremdes Kind sein, da unten.
A knackt mit kalten Füßen die Treppe runter und will weg mit Elke.

39 Da ist Frau Fisch beim Eheberater der Caritas

– Da rücken zwei gelbe senkrechte Striche und blaue Rippen waagrecht an, sagt Frau Fisch.
– Frau Fisch, sagt der Eheberater der Caritas, wachen Sie auf.
– Er spuckt A ins Gesicht. Elke zieht sich rückwärts zum Haus raus. Hure, hat er gesagt, sie soll keine anderen Männer kennen, sie soll ihm bloß mit keinem Kind ins Haus und den Pullover ausziehen, den sauengen.

40 Da stößt der Hutmacher die Tochter runter

Der Hutmacher hat die Tochter mit dem dicken Bauch
die Treppe runter gestoßen. Da ist es ihr weggeblutet.
Dabei stoße ich mit der rechten Hand das Rudergerät,
in der Diele pafft er zum Kontrollgeräusch den Stumpen,
mit links blätter ich um. Mit rechts bring ich den
Zählerstand auf 100.
– Weiter, weiter, ruft er von unten, du wirst prima
Muskeln kriegen, keine Müdigkeit da oben.
Mir tun die 600 Mark leid. Dafür hat er hinter dem
Lenkrad geschlafen mit trockener Kehle und in Gefahr
gekrümmt Spesen gespart für meinen Muskelaufbau.
Den Hutmacher und die Tochter zieh ich jeden
Abend aus dem Regal, unter dem Dach, dahinter
die doppelte Wand und ich davor muß meine hundert
Ruderschläge tun und Arme entwickeln, schling ich
die mal später wem um den Hals, der das aushält.

41 Da fallen die Linsen unter den Tisch

In Zornheim sehen wir das Knallgelb, das rosa Lächeln,
wie es durch den Garten auf uns zu schwimmen will.
Ich spritze Maggi in den Teller. Sie setzt den Fuß
von draußen ins Linsengericht.
Die Mutter brüllt. Sie zieht den Samt vor die Scheibe
und dreht den Teller um. Die heißen Linsen fallen
unter den Tisch, die Mutter fragt:
– Ist überall nur Verführung?
Durch das Blau springen Bruder und Schwester
ins Wasser.

Der Vater winkt uns jeden Tag von der Zornheimer
Landstraße her, die starke Hand hin und erzählt vom
Fortschritt am Bau, vom Glück bald, wenn wir endlich
alle im Haus sind. Von den anderen Zeiten. Ich will
keine andere Zeit.

Wieder Bratkartoffeln.
– Wir müssen den Gürtel enger schnallen, sagt die
Mutter, erwartet nichts Exquisites, von mir nämlich
nicht.
Ihr Gesicht schimmelt unter den Haaren, einfach weg.
– Ich will in keinem verwaschenen Kleid für

Fliederkacheln, für kein einziges Bidet der Welt will
ich in deinem Zustand sein, Mutter, hättest du nichts,
was da abzusetzen und zu spülen wäre.
A wünscht sich nicht. Sie rennt aufs Klo und kotzt.
– Auch ich überseh nicht alles, murmelt der Vater.
Wie soll sie das über Kartoffeln gekrümmt denn hören,
du? Sie steht vor dem Becken und spuckt. Die Augen zu.
Die Zehen krallen den Plüschvorleger. Die Mutter spült
die Fettaugen weg. Die Geschwisterfäuste trommeln
die Tür.
– Wir wollen Zähne putzen.

Als alle schliefen, die Mutter tat nur so, sie will, daß
ich jetzt das Leben zu sehen krieg, sie selbst will nicht,
schlich ich den Garten hoch und legte mich hinter
die Tanne. Ich bog die Zweige weg und seh die roten
Reitzensteinzehchen vor Freude im Eisbär tanzen, vor
dem Kamin. Ein Moccatäßchen klirrt. Der Papagei
schreit. Der Goldfisch glänzt.

A rennt zurück in die Wanne. Sie rafft das Hemd
und spritzt die Spur, so ein dünnes dummes Blut in
die Kanalisation von Zornheim.
Die Mutter hockt sich zum Plätschern des Schwimmbades
ins erste Piepsen der Vögel übers Heidekraut und
verrichtet die kleine Notdurft. Sie klopft nicht an
bei ihr, die das Klo versperrt. Sie will niemanden wecken,
durch das Geschrei von A etwa? der ja gar nicht da ist,
der Vater.
Die Geschwister rücken wieder an.

– Mach auf.
– Ich muß mal.
– Ich kann es nicht mehr aushalten.
– Ich auch nicht, sagt A, verpißt euch.
Die Mutter rüttelt. Da steht Heinz hinter Gertrud.
Wie nicht weggewesen.
– Ich war nur eben auf dem Bau, dieser Gill…
– Der Kaffee ist fertig.
Alle brüllen und trommeln.

42 Die Liebe duftet am falschen Ort

Da kommt die Reitzenstein und schickt sie weg.
A schließt auf. Sie nimmt A zwischen die aufgerichteten Warzen. Hier riecht es nach dem Vater. Da ist sie.
Die Liebe duftet am falschen Ort.
Der Vogelkimono öffnet sich den Spalt weit, daß alle Kostbarkeiten vor mir liegen wie vor dem Vater.
Wie im Roman. Sie führt mich in das separate Zimmer.
Die Mutter hatte von dem roten Ereignis nach unten erzählt. Ich hatte es im verlassenen Haus gelassen.
Es würde im neuen Haus jeden Monat wiederkommen, ist das nicht wunderbar, fragt die Reitzenstein.

Die Tür geht auf. Die Mutter kommt rein:
– Es ist normal. Steh auf. Es ist nichts. Du hast dich erschrocken. Du brauchst kein separates Zimmer.
Das dumme Stuhlbein damals, du hast es verwechselt.
Es ist alles gut.
– Ja, sag ich.
Ich war keines Wortes fähig, ich sah ja, wie es stand.
Sie lagen in einer tiefen Blutlache nebeneinander.
Intschu tschuna mitten durch den Kopf und Schöner Tag durch die Brust geschossen. Da bewegte sie sich.
Sie wandte den Kopf auf die Seite, wo ihr Vater lag,

und schlug langsam die Augen auf. Sie sah Intschu tschuna in seinem Blut und erschrak.
Als Old Shatterhand, dem Schöner Tag die Seele gab, den Schrei ausstieß, der durch alle Wälder hallte, als Winnetou, der Bruder, mit Tränen in den Augen und Stimme wie Donnerrollen Rache schwor, kippte ich vom Hocker. Eines der drei Beine entjungferte mich. Band 2 und 3 fielen auf den Kopf und ich in die Ohnmacht.
Als ich zu mir kam, wollte ich weg. Der Vater stochert zwischen den Beinen von ihr:
– Mitten in der Nacht liest du Romane. Das wird dich das Leben kosten.
Er prescht ins Krankenhaus mit meinem Körper, den er wiederhergestellt und haben will.

Wieder geht die Tür auf. Sie rascheln Brust an Brust an mein Bett. Das liegt im Hoheitsgebiet der Gräfin. Die Mutter neigt den Kopf. Der Steiß verläßt zuerst das Zimmer. Die Reitzenstein bringt Blumen und Obst. Sie drückt das Fläschchen in meine Hand. Ich seh hübsch und erstaunt aus.
– Das ist der erste Tag der neuen Zeit, sagt sie.
– Das erste Parfüm, ich dreh mich um. Da seh ich uns müde vom Verlassen der Zwischenstation, vom Verlassen des Hauses der Oma, des Opas, des Kellers, aus der Garage weg durch Zornheim, über die Landstraße durch den Weinberg in diese Zuflucht, steigen und warten.

43 Die Restfamilie beim Eintopf im Keller

– Warte nur ab. Es kommen andere Zeiten. Ich ziehe andere Saiten auf. Ganz andere.
Der Vater irrt durch die Zwischenstation hin und her.
Der Wohnwagen wackelt. Die Mutter sagt:
– Heinz, die Garage ist nicht dicht, die wird alles hören, faß dich doch.
– Die wird ihr blaues Wunder erleben.
– Warte bis wir wieder zusammen sind.
– Morgen früh, Gertrud, wird sie die Kostprobe kriegen, wer hier das Sagen hat, wer bin ich?

Ich will in dieser Nacht noch, mein Herz mir außerhalb des Körpers finden.
Die Mutter wimmert leer. Der Vater war in Mainz allein in seinem Schlafanzug. Es hätte Lust da sein müssen.
Sie schmeißt den Brustkorb in eine Sehnsucht rein.
Ihr Rücken tut weh. Sein Herz schmerzt.

Be und Ce schlafen unter dem Dach, De neben der Mutter und A in der Garage zwischen Haus und Garten, unter der Terrasse.
A steigt durch die Seiten in ihren Kopf. Sie schließt die Augen und liest:

– Das himmlische Herz liegt zwischen Sonne und Mond. Zwischen den Augen.
Aus. Wie leicht kann er zwischen die Augen schlagen. A will den Kopf, ganz schnell, außerhalb des Körpers finden. Sie öffnet das Buch vom gelben Schloß:
– In dem zollgroßen Feld des fußgroßen Hauses kann man das Leben ordnen.
– Das fußgroße Haus ist das Gesicht. Im Gesicht das zollgroße Feld ist das himmlische Herz, erzählte der Lehrer, als A die Blume malte.
– Kennst du das Geheimnis der goldenen Blüte, fragt er.
– Nein, sagt A, ich will nicht.

Die Faust pocht im Morgengrau an das Garagentor. Ich öffne.
– Warum weinst du?
Ich weine.
– Antworte mir.
– Die Schuhe.
– Die Schuhe?
– Alle lachen über mich. In diesen Schuhen…
A schreit in sein Gesicht:
– Bei Sonne und Regen und Schnee, immer diese Stiefel. Die spitzen Biester kerkern die Zehen ein. Die Hacken schaben die Fersen blutig. Der schwarze Lackrand schneidet die Waden. Der Lack stinkt und die Füße. Die Schadenfreude lacht mir ins Gesicht.
– Was ist das für ein Schaden?

– Sie sagen, ihr seid.
– Wer wir?
– Meine Eltern sind, sagen sie.
– Was sind deine Eltern?
– Aufsteiger, Emporkömmlinge, miese, geizige,
häßlich gekleidete Leute.

Er packt die Schubkarre zwischen die Kinderfäuste,
streckt das Kinn vor und fährt die schwappende Jauche
der Familie Fisch durch Lingen. Die Kinder zeigen
auf den bekleckerten Weg.
– Mehr wird Heinzi, sagt die Mutter, im Leben nicht
passieren können.
Dann stirbt der Bruder im Krieg.

– Und warum weinst du. Du lügst.
– Nein.
Natürlich lüge ich.
Wir Schwestern schämen uns jeden Tag den Pustenberg
runter in diesen Stiefeln. Und Strümpfen. Und kratzigen
Röcken. Rollkragenpullovern. Und Mänteln. Mützen.
Und ich die Brille. Sie die Spange in den Zähnen.
Wir weinen nicht.
Oma und Opa im Haus, Be, Ce und De, selbst die
Mutter im Wohnwagen schlief. Der Finger von
Vater Heinz stupst mich durch die Kellertür in die
Waschküche.

Als sie die Restfamilie für die Zwischenzeit, bis
der Bau fertig ist, bei den Großeltern einquartierten,
Möschenborn 17 war verkauft, da wird er keinen
Haufen Geld rausschmeißen, für unsere Körper,
den kann er sich nicht aus den Rippen schneiden,
sagt er:
– Miete kommt nicht in Frage. Muß ich nicht auch
viel leiden? Ein Schulwechsel mehr, mehr nicht.
– Das bringt Schwierigkeiten, sagt die Mutter,
wir müssen mit Leistungsabfall rechnen.
– Das fördert die Abwehrkräfte, sagt der Vater.

Der Vater verbot uns die Treppe hoch, in die Wohnung
zu steigen. Er stellte das türkisene Klo neben die Kohlen.
Mittags reicht die Oma den Eintopf die Kellertreppe
runter. Wir sitzen bei Kunstlicht und essen.
Dieses Haus, in dem ich, bevor ich ins Haus der
Eltern kam, Nacht für Nacht unter dem Dach lag,
ist mein Haus. Ich darf nicht hochsteigen zu mir.
Wer da nicht dumm wird, stirbt. Wo bin ich?

Hier bin ich. Als ich noch nicht sprechen konnte,
hab ich die Arme ausgestreckt.
Das hat dem Vater nicht gepaßt.
– Die verwöhnen sie maßlos, deine Eltern, Gertrud,
sie wird fett wie die Ente, sagt der Schwiegersohn, der
drahtige Körper liebt, innerlich und äußerlich.
Da futtern sie in Wuppertal, in der jungen Ehe aus
Einmachgläsern, von der Mami aus Lingen auf den
Schlafzimmerschrank, zum Eheleute Erschlagen

eigentlich nicht im Ehebett, als kleine nächtliche
Freude hingestellt.
Im einzigen Zimmer, am Anfang einer Laufbahn.
Wo hätten sie hin sollen mit A, in Küppers Büschchen,
vor der kirchlichen Trauung gezeugt, die Antwort des
Teufels.

44 Warum ist A nicht weggeblieben

– Gertrud. Eine Frau braucht den Beruf. Sie muß den Mann verlassen, wenn es arg wird. Gib uns das Kind.
– Ich liebe ihn doch.
– Papalapap.
Das war das letzte Wort in meiner Sache.
– Wenn ihr eine Existenz habt, holt sie euch wieder, sagte der Opa und strich A unter dem Kleid der Tochter über den zukünftigen Kopf.
– Wir werden sie schon ordentlich liebhaben, sagt Mutterbruder Klaus, als ich da bin.
Was da vor dem offenen Küchenfenster, im Vorgarten, unter dem Kochlöffel der Oma, unter der japanischen Kirsche, im Ställchen dem schwulen Ludwig entgegenblinzelte, Wilfried, dem Mutterjugendfreund aus der Tasche fraß, dem Mutterbruder Klaus im Schoß lag, aber stundenlang, dem Opa im Arm und sein Liebling war und einen Papa hatte, der kommt und geht, dem kniet die Welt am Ställchen, dann flutscht sie weg.

– Weißt du noch, wie wir sie besuchten, jedes Wochenende, Heinz, wie wir uns auf die Familie freuten. Dann kam Be und Ikka, das Kindermädchen, wir nahmen sie uns wieder.
– Hm, der Vater leckt sich die Lippen.
Der pechschwarze Schwanz von Ikka wippte recht reizend.

– Margit, alles künftige Unheil für uns kommt
aus diesem kleinen, widerspenstigen, fettzelligen,
verzärtelten Körper, der uns eines schönen Tages die
Betten auseinanderklopft.
Ich sage dir, sie wird das Eheholz in die Garage stapeln
und ich zum Mörder, Gertrud. Wir müssen uns diesen
Körper gefügig machen. Sie ist nur das Gefäß,
in dem unser Wort Fleisch werden soll.
Nicht erschwatzen, erkämpfen soll sie sich, in die
nordische Kargheit erwachen. Sind wir etwa gleich?
Sie kann nichts und mogelt, daß die Balken sich biegen.
Wir müssen granitene Fundamente schaffen, für ihr
späteres Handeln. Hart muß sie sein, wenn wir
nicht immer für sie zahlen wollen.
Wie leicht läßt sich die schwache Seele von der
Gewalt verführen. Wie süß ist dem matten Geist die
Faust. Zu edel ist das Wild, was Gertrud, du willst
es nicht jagen?
– Sie ist ein Kind.
– Schlawiner bleibt Schlawiner.
– Sie ist auch dein Kind, Heinz.
– Wie dankt sie das? Wenn sie mein Fleisch und
Blut ist, Gertrud, gehorcht sie gefälligst.
– Sie gefällt dir nicht.
– Ich hasse kleine Lügen. Sie soll große Lügen wagen.
Ich würde mich gern vor dem Dolchstoß in den
Rücken fürchten.
– Du fürchtest ihr Gedächtnis.
– Sie hat mich verleugnet, beleidigt, belogen, doch ich
will noch immer, daß sie was wird. Solange sie an Kraft

zunimmt, soll sie es nicht mit mir aufnehmen. Das
befiehlt die Vernunft. Wenn sie die hätte.
Gertrud weint.
– Wo gehobelt wird fallen Späne. Gertrud, du machst
aus mir ein Ungeheuer. Ein Mitglied der Gesellschaft,
das willst du doch? Sie soll sich ihr Brot selbst verdienen.
Wir regen mit Bekunis Tee die Verdauung an.
Die Muskeln schießen nur so aus dem Ärmchen. Ich
spare auf ein Rudergerät. Vom Mund ab. Ich gewinne
sie dir wieder. Und sich selbst.
Solche Sätze hatten Wirkung. Sie schlummerten
die Mutter ein. Sie war immer fürs Vereinigen. War
das Kind nicht wirklich undankbar?

– Hab ich ihr nicht das Leben gerettet? Bin ich nicht
von Stadt zu Stadt, von Station zu Station, keine Kosten
scheuend, den Chefarzt schellte ich aus dem Bett, als
diese Sache mit dem Stuhlbein passierte, später, mitten in
der Nacht und bezahlte privat, wovon denn eigentlich?
Bin ich nicht mit dem sterbenden Säugling im Arm durch
die Nacht, bis endlich ein Labor das Mittel mischte
und sie dem Leben zurück gab?
Hab ich nicht, das Kind erst einige Tage alt, alles getan,
was ein Vater für die Tochter überhaupt tun kann
im Leben? Hatte ich nicht einen unerhörten Kredit?
Jetzt aber frage ich, warum will das Balg nicht?
Warum hat sie mich mörderische Bakterien jagen lassen?
Warum schmeißt sie mich in die Unruhe rein. Warum
ist sie mit dieser idiotischen Blase ausgerüstet?
Warum ist sie nicht weggeblieben?

45 Die Erziehung kommt

Dann kommt die Erziehung. Der Vater klaut für A aus dem Büro ein graues langes Strafbuch. Wenn sie den Kot nicht ausreichend hergibt, schreibt sie die Seite hundertmal runter:
Ich muß meinen Bekunis Tee trinken.
Ich muß meinen Bekunis Tee trinken.
Ich muß meinen Bekunis Tee trinken.
Ich muß meinen Bekunis Tee trinken.
Ich muß meinen Bekunis Tee trinken.
Ich muß meinen Bekunis Tee trinken.
Ich muß meinen Bekunis Tee trinken.
Ich muß meinen Bekunis Tee trinken.
Ich muß meinen Bekunis Tee trinken.
Ich muß meinen Bekunis Tee trinken.
Ich muß meinen Bekunis Tee trinken.
Ich muß meinen Bekunis Tee trinken.
Ich muß meinen Bekunis Tee trinken.
Ich muß meinen Bekunis Tee trinken.
Ich muß meinen Bekunis Tee trinken.
Ich muß meinen Bekunis Tee trinken.
Ich muß meinen Bekunis Tee trinken.
Ich muß meinen Bekunis Tee trinken.
Ich muß meinen Bekunis Tee trinken.
Ich muß meinen Bekunis Tee trinken.

Be schrieb die Seiten runter:
Ich
Ich
Ich
A schrieb daneben:
    muß
    muß
    muß

A und Be hamsterten Sätze wie:
Ich muß meine hundert Ruderschläge machen.
Ich muß dicke Arme wollen.
Ich muß das Klavierspiel üben.
Ich darf nicht naschen.
Ich darf nicht lügen.
Ich darf nicht Romane lesen.
Es gab keine Strafe, die A und Be nicht schon nachts, im Bett nebeneinander, im Licht der Straßenlaterne müde vollzogen hätten.

46 Der Körper flieht

A steht im Schlafanzug und friert. Der Vater dreht den Gartenschlauch auf. Das Wasser läuft in den verrosteten Abfluß.
– Das Wasser ist kalt, sagt A.
– Es ist jeden Morgen kalt.
Der Vater reißt den Wohnwagen auf.
– Gertrud, was heißt das?
Die Mutter wischt den Schlaf aus den Augen. Sie steigt in die Puschen und lehnt sich an die Waschmaschine.
– Es ist früh. Was macht das Kind hier? Es friert und ich hab den Ärger.
– Zieh dich aus.
Die Mutter knöpft das Nachthemd auf.
– Nicht du. Deine Tochter.
– Aber Heinz.
– Sie soll sich ausziehen, sag ich.
Ich stehe da und schau in ihre Augen.
– Soll das heißen, Gertrud, du hast ihr nie befohlen?
In all der Zeit kein Duschen am Morgen? So verfallen die Sitten. Dieser Heimatsumpf.
– Das Wasser ist kalt, Heinz.
– Ihr habt die Regeln gebrochen. Eine nach der anderen.
– Ich kann das nicht mit ansehen, sagt die Mutter und geht.
A steht nackt vor dem Vater. Die Waschküche

schwankt. A kotzt in den Ausguß. Die Waschküche stinkt.
– Das rührt mich nicht, duschen, sagt der Vater.
A spritzt das kalte Wasser aus dem roten Gummischlauch, mit Eisendichtung ins Gesicht.
– Weiter, sagt er.
A spritzt den Brustkorb. Die Augen des Vaters wollen auf der Brust ruhen. Da löst sie sich auf, die andere auch und fahren, zum Teufel wohin. Die Augen des Vaters spritze ich runter. Die hängen im Geschlecht. Das flieht und läßt die Augen zurück. Die haben nichts gesehen.
A duscht sich ruhig den Körper runter bis zu den Füßen und dreht das Wasser ab.
– So, sage ich.
– So, sagt er, so machst du das jeden Morgen und denkst dabei an mich.
Er dreht, setzt sich ins Auto und fährt blind ins goldige Mainz. In unsere Zukunft. Auf der Autobahn gehorchen ihm die Augen wieder.

47 Die Augen sind nicht naß geworden

In der dritten Stunde liest der Lehrer: die Schöne und das Tier.
– Malt, was ihr seht Kinder, sagt er.
A setzt den Krokodilen scheußliche Dreiecke den grünen Rücken runter. Der soll nichts Rundes und nichts Warmes und mich nicht sehen und nicht fragen.
– Schön, sagt er und schaut mich an.
Am Tisch stoße ich das Essen weg. Soll der Vater in seinem Kopf, in seiner Erinnerung kramen:
– Wer war A?

– Heinz, laß das Duschen weg, sie ist nur noch Haut und Knochen.
– Nein.
Kaum ist der Vater aus dem Auto gestiegen, steckt A den Rest von sich in das neue Frotteekleid, zieht den Reißverschluß unter das Kinn, betont den Brustkorb, schnallt den Ledergürtel eng. Preßt die Luft aus der Lunge und kippt. Der Vater beugt sich über die Tochter:
– Sie simuliert.
A schlägt die Augen auf. Da kannte sich schon in Österreich keiner aus.
Der Jäger fischt sie aus dem See. Er pumpt den See raus.

Sie schlägt die Augen in die Augen des Vaters, der den Jäger beiseite schob.
– Meine Augen sind nicht naß geworden, sagt A.
– Das ist nicht zu fassen, sagt der Vater zum Jäger, da wäre sie am Grunde des Sees liegengeblieben und gleich dicke Lippe riskieren.
– Willst du sie nicht ein bißchen mögen, deine Tochter, fragt die Mutter im Vorzelt, siehst du nicht, wie sie dir gefallen will?
Der Wein, das Plätschern des Sees, die milde Abendstimmung unter den Lebenden, der Jäger, der sich zurückzog, als seien gleich die Eheleute gerne mit sich zugange, deren Fleisch und Blut gerettet ist, kann nichts ein Herz erweichen?
– Sie stirbt fast weg und was sagt sie, ist ein Funken Dankbarkeit in diesen, Mensch Gertrud, fast schon tote Augen sind das. Wer ist das Ungeheuer?
– Ich Heinz, such die Schuld bei mir. Ich hab ihr vom Himmel, vom Paradies erzählt. Die Engel oben haben kein Herz und keine Träne, sagte ich.
– Keine Fisematenten, sagt der Vater, fang nicht wieder damit an. Der Urlaub ist hiermit für mich beendet.

Der Vater nahm den Zug. Wir brachten das ganze Jahr zu an diesem See. War eines auf dem Damm, lag das andere flach. Im Winter, im Zelt die Decke über die Ohren gezogen, aneinandergepreßt, schlürften wir die Wärme aus dem Nebenkörper und stemmten uns gegen den um mich betrogenen See, der uns zu sich wünschte, alle.

48 Die Mutter kriegt den Leib nicht zu sich rüber

Als die Mutter an Gott zweifelnd in der Wiese am See, im weißen Häkelbikini, auf dem Rücken im Himmel Ausschau hielt, kam der Jäger des Wegs:
– Steh auf.
– Wissen Sie vielleicht wo der Himmel ist?
– Ich würde Ihnen den Himmel gern näher bringen. Der Leib, zum Beispiel, breitet sich ins Universum aus, sagt der Jäger.
– Der Leib, lacht die Mutter, ich kann ihn nicht zu mir hinüberkriegen.
– Der Körper, der Jäger kniet sich daneben, ist der Angelpunkt der Weltentwicklung, wenn er quietscht, ölen wir ihn.
– Mahlzeit, sagt die Mutter, die Zunge holt den Körper nicht heim. Bitte fassen Sie mich an. Ölen Sie mich.
– Kein Suchen stößt in die Leere, sagt der Jäger, wie kann ich Sie aus sich selbst herausführen?
– Ich habe niemanden außer Ihnen, sagt die Mutter.
– Sie haben einen Mann. Der Vater im Himmel will von uns den Alltag, sonst nichts.
Gertrud faßt den strengen Grünen am Bart.
– Er will alles. Er ist in mein Herz gegossen. Ist mein Leib nicht sein Haus? Das Leben schrumpft gütig weg und ich soll in maßloser Anstrengung der Liebe

keuchend immer brennen. Das ewige Hineinschreiten
in den Vater im Himmel hab ich satt.
– Es tut weh, sagt der Jäger, doch es zählt nicht.
– Und was zählt?
– Üben, sagt der Jäger, der Tag fängt mit dem Morgen an.
Stehen Sie auf.
– Das Leben strengt an, sagt die Mutter, jeder trägt
sein eigen Herz und jedes Herz ist jedem Herz
verschlossen. Ich will nicht.
– Hand aufs Herz, sagt der Jäger, wenn du
hineingekommen bist, in das geliebte Du, tut nichts
mehr weh.
– Sie kennen meinen Mann. Wer macht mir den Himmel
möglich?
– Wir sind der Himmel, für die, die wir lieben, sagt
der Jäger und ich, ich wende mich im Himmel gerne für
Sie um.
– Und ich, fragt die Frau, und ich: hineingerammt
in die Erde? Der Mensch ist ein Abgrund, warum haben
Sie das Kind rausgefischt?
Den Jäger packt die Ungeduld, die packt die Frau am
Hals und schlägt sie gegen den Boden:
– Du bist hineingesenkt in die Familie, die ist hineingesenkt
in die Kultur, die denkt, er schlägt, die vorzieht, er schlägt,
die bewertet, er schlägt, und ablehnt, er schlägt den
bockigen Kopf der Frau.
– Und die ist eingesenkt in die geschichtliche Entwicklung
der Menschheit, zwei Milliarden Jahre zurück.
Gertrud röchelt, was das mit ihr zu tun hat. Der Jäger
stellt sie hin.

– Der Mensch ist sich vorweg, das Eigentliche kommt noch.
– Das befürchte ich auch, sagt Gertrud.
– Der Vater oben kann nicht anders, als dich lieben. Du willst nicht. Das ist die Hölle.
– Die herbe Zuneigung des Vaters also. Wenn du meine Seele tasten willst, mußt du dich über meinen Leib bequemen.

Da fischt er die Tochter zurück in die Welt und kriegt kein liebes Wort. Da steckt die Mutter in menschlicher Verwirrung, zwischen seinen Händen und führt ihn in die Ungeduld.
– Der Mensch lebt ins Uferlose, gewiß, doch Sie sind eine so maßlose Frau.
– Im Konvergenzpunkt der Himmel, kichert Gertrud, Sie lieben mich keusch. Sie wollen mich nicht besitzen. Und ich soll mich in der Ehe nicht verriegeln dürfen? Der Mann soll in meinem Blick, gänzlich geborgen zum Menschen werden? Ich soll in mir nachsehen, ob ich mit ihm nicht wie mit einer Hauseinrichtung umgegangen bin, ob ich ihm nicht etwa auswich, auch wenn die Zunge nicht falsch schlug, wer vorbei geht, lügt, ob ich nicht nachlässig, müde, von stumpfer Traurigkeit gegen ihn war? Ich soll nach Entschuldigungen suchen für den Mann, wenn es sein muß, verzweifelt. Wo ist der Himmel nun?
– Wenn oben unten ist und unten oben, der Jäger knöpft, zu Ende mit seinem Latein, den Rock auf und zeigt der Mutter unten und oben von oben und unten, herb und zugeneigt.

49 Wir raffen nicht dahin

Wir wollen den Brief von unserem Erzeuger. Den wirft der Postbote in den Schoß der Wirtin, die riecht am Check, ob er gedeckt ist, leider ist die Witwe mit mancherlei vertraut auf ihrem Campingplatz.
– Wer weiß, vielleicht ist er Frau und Kind satt in die Ferne, auf Nimmer Wiedersehen, sagt die Wirtin zum treuen Schorsch, als das Fieber wieder hochsteigen will, im Kind, ein stattliches Mannsbild ist er gewesen.
– Und jeden Samstag pünktlich der Check?
– Das läßt sich organisieren, Schorschli, am Ende hat er den Leuten ein Gift gegeben, das sie nach und nach dahinraffen soll und wir kucken in die Röhre.
– Schöne deutsche Fisch und Brut, der Wirtin am See in Österreich, unter der Hand, schön langsam weggestorben, sagt Schorsch.
– Gefällt sie dir?
– I wo. Ich häng mir keine fremden Bälger an den Hals. Der Jäger wollte sich auch nicht abrackern müssen. Der Postbote hat schon vier Mäuler zu stopfen die krähen.

50 Die Insel

Es ist spät. Vater Heinz lebt. Er repariert das Haus
und läßt sich kraulen.
– Suchen wir ihn, sagen A, B, Ce und De.

– Was man Liebe nennt ist Verbannung und von
Zeit zu Zeit eine Postkarte aus der Heimat, das ist mein
Eindruck, heute abend, sagt Beckett.
– Die Erinnerung macht menschlich, sagt einer im Film,
ein anderer fragt:
– Willst du nicht endlich über die Schwelle treten?
Dein Wunsch wird in Erfüllung gehen.
Wenn ich wünsche, geboren zu sein, lachst du.
Wenn ich wünsche, nicht geboren zu sein, lachst du
und Martin sagt, das kann ich hier nicht sagen,
was Beckett sagt.

– Ist der Vogel wirklich gestorben damals?
– Ach Möschenborn 17.
– Ach Mainz.
– Ist er nicht den Käfig raus, die Haustür, die für den
Hund nachts Hasen reißend offen stand, über das Meer,
dem Vater voran?
– Mit diesem Hautstück im Schnabel?
– Hat niemand den Schrei des Vaters gehört?

– Die Bluttropfen auf den Fliesen?
– Nur vom Hasen.
– Sahst du Knochen oder Fell in den Ecken wie sonst?
– Ich habe nichts gesehen.
– Ich auch nicht.
– Habt ihr ihn jemals fliegen sehen?
– Ich sah nie Pech zwischen dem gelben Gefieder.
– Der hätte fliegen können.
– Von wem redet ihr?
– Er war einfach weg.
– Vom Erdboden verschluckt.
– Weggebiemt.
– Ein vollgefressener Katzenbauch, sagt die Mutter praktisch, tuts auch.

Be stellt den Motor ab. A hat gerne eine Schwester.
Da ist ein Kamel und spuckt uns voran in das Haus des Vaters, Ce und De schlafen.
Die Insel ist klein. Das Wasser steigt. Die Dämme, Ebben und Fluten sind künstlich.

– Mein Rücken wird naß. Das sind die vier Kinder, stöhnt Heinz unter dem Griff der Masseuse, die seine Rente will und die Spucke über den Rücken verteilt.

Der Vater sieht in den leeren Käfig. Die Mutter streicht tröstend mit spitzen Fingerkuppen über das wunde Fleisch.
– Wo ist der Vogel?
– Ist dein Schmerz so groß, Liebster?

– Geh da raus.
– Ich kann nicht ohne.
– Dann mit.
– Mit deinem Fleisch unter den Nägeln?
– Wenn du da raus bist, stutz ich dir die Krallen.
– Heinz, wenn du mir drohst. Ich kann nicht. Ich würde zuviel von dir nach außen reißen.
– Bist du nicht Frau genug deine Finger aus meiner Wunde zu nehmen?
– Sag mal, die Mutter wird grüblerisch, wie ist das Loch da rein gekommen? Da fehlt ein Stück von deinem Fleisch.
– Deine gottverdammte Zärtlichkeit.
– Wo ist dein Fleisch?
– Welches Fleisch?
– Das hier hin gehört.
– Es ist nichts. Ich schwöre.
– Wie du mich betrügst.
– Wir kommen da nicht raus, allein. Wir schreien. Eins, zwei, drei.

Die Mutter will den Vatermund versperren. Der Vater schreit durch ihre Finger. A und Be steigen hoch. Wir sollen durchs Telefon den Hausarzt rufen und die Haustür angelehnt, endlich in die Betten runter verschwinden.
Schröppgen donnert mit der Faust gegen die offene Tür und stürzt, das aufspringende Arztköfferchen voran, in die Bestecke.
– Hilfe, gurgelt das Blut die Treppe runter.

Wie zwei Englein stehen wir da. Am aufgespießten
Schröppgen wollen wir nicht vorbei in die Betten und
kriechen durch den Garten. Wir klopfen bei Witt,
dem Untermieter aus Brasilien. Sein Zimmer gehört uns,
wenn die Schulden bezahlt sind, wohnen wir nicht mehr
beim Ungeziefer.
Ob Hansi, mit einem Stück von Heinz, schon über das
Meer, mal vorflog? Was wissen wir von dir?

51 Ich klau mir ein Mädchen, wie ich

Schuß. Die Kugel klatscht den Vogel vor die Füße.
Der Kaiser legt die Ohren an und lauscht.
– Der tote Vogel schreit nicht, schrei ich übermütig
durch den Dschungel.
Da liegt das Tier tot im Gras. Ich rücke ab und will
gern glauben, daß alles nur einmal stirbt.
Der Stauferkaiser pirscht sich ran.
– Wer sich auf die Kunst des Jagens mit Vögeln versteht,
meine Liebe, flüstert Friedrich in mein Ohr, schon
bläht er die Backen, füllt mit spitzen Lippen die
herausoperierte Lunge mit seiner Luft und läßt sie
durch den daranhängenden Kehlkopf, mit dem Lockruf
des Kranich entweichen.
Wieder legt der Kaiser die Ohren an und zielt in den
Himmel. Und schießt.
– Der tote Vogel beißt nicht, schrei nicht. Nehmt ihr
das Tier aus dem Haar.
Ich wisch das Blut aus den Augen und frage, wessen
Atem mir durch diesen Hals und Kehlkopf stürzt.

Heute zielt der Reiter auf dem schwarzen Pferd den
Plastikpfeil golden in meinen Kopf. Das Blut ist wirklich
und rot. Es soll nicht in den Traum rein fließen.
Im Traum verlier ich die Zimmer einzeln heute.
Das Haus ist umgebaut. Vor der Aussicht ein Flur.
Du kannst es haben, sagt die Mutter, nimms doch.
Ich will es nicht. Ich erkenn es nicht. Der Lehrer will mir
von der Seite endlich in die Augen sehen. Die Augäpfel
blähen sich rot beschriftet. Im Traum hast du meine Tür
aus Holz wie die Vögel im Film mit Schrift zerhackt,
der sich im Wald ein Ende setzen wollte.
Im Briefkasten wartet der Brief, in dem ich dich verliere.
Es ist der 1. September 1990. Wann lauf ich hin und steh
und saug das Blut mit den Füßen an aus den Eimern,
durch die Knie in den Kopf.
Und klau mir im Park ein Mädchen, wie ich.

Vater Heinz ist überschwemmt. Er muß ans Dach und an die Fenster. Er will sie lieber in Mainz, im Haus der Mutter sehen, wenn sie den neuen Kerl da raus hat. Jetzt nicht.
– Du bist da gewesen, sagt A ins Telefon, ich bin da und die anderen auch. Warum bist du wieder gegangen?
«Papa» stand in rotem Buntstift auf dem Zettel unter den Stein gesteckt, vor der Ferientür.
– Gestern stand ich vor eurer Tür. Gegen meinen Willen schrieb ich den Papa hin und zog die Beine durchs Gelände in den Bus.
– Du bist mit dem Bus gekommen?
– Glaubt ihr, ich lebe in Saus und Braus? Das Haus hier gehört mir bis zum Tod nur, wenn ich täglich darin schufte. Ich hab keine Zeit für Besuche. Ihr stehlt mir das letzte Leben weg. Wer bin ich denn überhaupt? Wer seid ihr, hab ich die Beine gestern gefragt. Weißt du was Erbpacht ist?
– Ich weine, sagt A, daß du wirklich da gewesen bist.
– Weinen kannst du dir auch schon leisten. Sieh an: dein Papa ist tot.

Da schlug ich langsam die Augen auf, sah ihn in seinem Blut neben mir durch den Kopf und ich durch die Brust geschossen erschrak.

Gesetzt aus der Sabon
PostSkript Linotype Library, PM 4.0
Jung Satzzentrum GmbH, Lahnau
Druck und Bindung Clausen & Bosse, Leck